MARCEL PROUST
ou le complexe d'Argus

DU MÊME AUTEUR

Paul Valéry. L.U.F., Paris, 1945.

La Faucille et la Lavande. Ed. Guy Levis-Mano, 1950.

Les Lettres et l'Absolu. Ed. Perret-Gentil, Genève, 1959.

LOUIS BOLLE

MARCEL PROUST

ou le complexe d'Argus

BERNARD GRASSET ÉDITEUR

61, RUE DES SAINTS-PÈRES
PARIS VIᵉ

Ouvrage publié avec l'aide du Fonds national suisse
de la recherche scientifique.

A Georges Cattaui.

« Le seul véritable voyage, le seul bain de Jouvence, ce ne serait pas d'aller vers de nouveaux paysages, mais *d'avoir d'autres yeux, de voir l'univers avec les yeux d'un autre, de cent autres,* de voir les cent univers que chacun d'eux voit, que chacun d'eux est : et cela nous le pouvons avec un Elstir, avec un Vinteuil, avec leurs pareils, nous volons vraiment d'étoiles en étoiles. »

A la recherche du temps perdu.

III, p. 258.

« Et sur *les avions,* vous rappelez-vous quand il disait (il avait de si jolies phrases) : " Il faut que chaque armée soit *un Argus aux cent yeux* " ? Hélas ! il n'a pu voir la vérification de ses dires... » « Il y a un côté de la guerre qu'il commençait, je crois, à apercevoir, lui dis-je, c'est qu'elle est humaine, *pourrait être racontée comme un roman,* et que par conséquent, si tel ou tel va répétant que la stratégie est une science, cela ne l'aide en rien à comprendre la guerre, parce que la guerre n'est pas stratégique. L'ennemi ne connaît pas plus nos plans que *nous ne savons le but poursuivi par la femme que nous aimons,* et ces plans peut-être ne les savons-nous pas nous-mêmes. Les Allemands, dans l'offensive de mars 1918, avaient-ils pour but de prendre Amiens ? Nous n'en savons rien. Peut-être ne le savaient-ils pas eux-mêmes, et est-ce l'événement, leur progression à l'ouest vers Amiens, qui détermina leur projet. A supposer que la guerre soit scientifique, *encore faudrait-il la peindre comme Elstir peignait la mer, par l'autre sens, et à partir des illusions, des croyances qu'on rectifie peu à peu,* comme Dostoïevsky raconterait une vie. »

Op. cit., III, p. 982-3.

« ... les anciens assuraient que dans le monde *tout était changé*, qu'on y recevait des gens que jamais de leur temps on n'aurait reçus, et, comme on dit, c'était vrai et ce n'était pas vrai. Ce n'était pas vrai parce qu'ils ne se rendaient pas compte de *la courbe du temps* qui faisait que ceux d'aujourd'hui voyaient ces gens à leur point d'arrivée tandis qu'eux se les rappelaient à leur point de départ. Et quand eux, les anciens, étaient entrés dans le monde, il y avait là des gens arrivés dont d'autres se rappelaient le départ. Une génération suffit *pour que s'y ramène le changement* qui en des siècles s'est fait pour le nom bourgeois d'un Colbert devenu nom noble. Et, d'autre part, cela pourrait être vrai, car si les personnes changent de situation, les idées et les coutumes les plus indéracinables... changent aussi... »

Feuille à part du Manuscrit.
Notes et variantes, III, p. 1231.

Les notes relatives à l'œuvre de Marcel Proust *(A la recherche du temps perdu)* se réfèrent à l'édition de La Pléiade (Gallimard, 3 vol.).

I

LA RECHERCHE DU POINT DE VUE

Le roman de Proust a été comparé à une cathédrale, à un retable, à une odyssée, à un roman policier dont l'énigme serait métaphysique, à un
roman-fleuve qui contiendrait des monographies
psychologiques, à une dramaturgie musicale scan-
dée par des leitmotive, aux *Mémoires* de Saint-
Simon et aux *Mille et Une Nuits.*

A son propos on a bien souvent prononcé le nom
de Balzac (pour dénoncer les limitations prous-
tiennes, pour mettre en valeur l'habile manipula-
tion du temps dans les récits de la *Comédie
humaine,* parfois au contraire pour souligner
l'exceptionnelle unité spirituelle de la *Recherche,*
l'unicité et la hauteur de sa visée), le nom de Nerval
(la recherche naissant du songe, de la première
enfance de l'esprit qui est elle-même une sorte de
rêve par rapport aux étapes postérieures de l'apprentissage humain, le récit proustien rebondissant
grâce à des réminiscences brusques comme dans les
Filles du feu), celui de Bourget (les romans de
celui-ci reposant souvent sur des réminiscences

affectives[1] et choisissant de préférence leur décor dans le monde des duchesses bleues).

Comparaisons toujours séduisantes, mais aussi extérieures à l'œuvre elle-même, qui demeure non comparable, incomparable, comme tous les chefs-d'œuvre. L'esthétique de Proust est fondée sur cet axiome qu'une œuvre est un monde clos qui ne peut se mesurer qu'à lui-même. Seul le Septuor de Vinteuil éclaire la Sonate, seuls les portraits d'Elstir sont les analogues de ses paysages ou de ses natures mortes.

Monde fermé mais d'une extrême complexité, le roman proustien doit se lire à plusieurs niveaux, se contempler à des points de vue multiples. Cathédrale mais forêt vierge, elle a suscité une foison de commentaires.

Proust a été tantôt considéré comme le révélateur de l'inconscient psychologique, tantôt comme un poète parfois mal associé à un romancier. Pour d'autres commentateurs encore, sa psychologie trop mécaniste comporte un grave « loup », celui de ne pas tenir compte du pouvoir dynamique de progression de la nature humaine (Fernandez) ; selon Sartre, elle ne dépasse pas l'associationnisme et le subjectivisme. Maritain lui a reproché d'avoir manqué des lumières d'un saint Augustin ; Gide d'avoir camouflé sa pensée et ses goûts. On a voulu voir

1. « Il se rencontre des minutes étranges, dans lesquelles notre propre existence et les existences qui nous entourent nous apparaissent comme quelque chose d'ineffable, de divin, comme la vision d'un songe, où le présent et le passé se confondent et où l'étonnement d'exister nous fait presque mal. » Phrase de Bourget citée par Georges Cattaui dans *Les Clefs des types et le clavier des thèmes chez Proust* (Univers de Proust, « Le Point », 1959).

parfois en Proust un fouilleur de détails dont la surabondance voile les grandes lois du monde romanesque, offusque la vision de l'ensemble. D'ailleurs, de cet ensemble structuré, certains critiques ont nié l'existence. D'autres au contraire considèrent la *Recherche* comme la somme et le résumé de tous les romans psychologiques du XIXᵉ siècle, comme l'aboutissement de l'ambition symboliste, ajoutant que cette réussite ferme la voie (ce livre serait ainsi vraiment le Livre). Mais Nathalie Sarraute, dans *L'Ere du soupçon,* découvre en Proust un annonciateur du nouveau roman dont la sonde psychologique ne serait peut-être pas encore descendue assez profond et qui, malgré les apparences, survole plutôt qu'il ne creuse, obsédé qu'il est encore par des notions naturalistes (idée du type, par exemple) et par des lois sociologiques.

Preuve de sa vitalité, la *Recherche* demeure donc un signe de contradictions. Le signe appellera encore de nouvelles explications. On a étudié jusqu'à satiété les réminiscences ou épiphanies, le style de Proust, ses thèmes, sa philosophie et sa morale, son humour et sa sociologie. On a mis en évidence le rôle de la peinture et de la musique dans la *Recherche,* la nature du temps et de l'espace proustiens, la structure globale de l'œuvre [1].

La lecture que je propose ici doit permettre simplement, du moins je le souhaite, d'unir des thèses contradictoires et, surtout, de montrer qu'à partir d'une perspective privilégiée, c'est-à-dire *du point de vue du point de vue,* beaucoup de ces contradictions s'effacent. Je voudrais croire qu'il ne s'agit

1. Cf. les études de Vigneron, de Rousset et de Poulet.

pas d'une clé arbitrairement choisie, mais du point de vue où s'est placé Proust lui-même.

Sans aucun doute il n'est pas le premier romancier doué pour la pensée philosophique : toute technique romanesque suppose ce qu'on peut appeler, faute de mieux, une métaphysique ; mais chez lui, la vision (ou style) et la pensée sont comme l'avers et le revers d'une monnaie, à la structure de l'œuvre correspond parfaitement la texture. Il est sans doute le premier à avoir infusé au langage romanesque une couleur philosophique réservée à l'essai. Bien sûr, son œuvre est un roman, qu'il faut d'abord lire pour le plaisir ; mais elle est aussi un déchiffrement, la recherche d'une vérité qui se refuse d'abord, ne se livrant que peu à peu. Il est clair que tout romancier, même le plus réaliste, le plus ennemi du symbole ou de l'hypothèse d'un arrière-monde, prétend peindre le vrai. D'une certaine façon, toutes les théories de la connaissance se justifient : elles dépendent du niveau où nous nous plaçons, elles expriment ce niveau. Toutefois, Proust a choisi un observatoire particulièrement élevé, cependant repérable.

La *Recherche* présente cet aspect assez particulier d'être un récit à la recherche de lui-même, une genèse de la création qui est finalement une création : le Héros, au bout du livre, se rend compte qu'après les épreuves subies, les déceptions éprouvées et tant de risques d'égarement courus, il est en mesure désormais de devenir un romancier, un artiste. Pour la première fois les thèmes de l'apparence et de la réalité, du rêve, de l'inconscient et de l'involontaire, de l'imagination et de l'enfance, de la relativité des points de vue, des variations de la personnalité, — thèmes vivifiés par une passion au feu sourd, modulés par une voie blanche, insistante, continue, sont entrés dans un roman français, ont été orchestrés avec une maîtrise sans précédent. Œuvre dont chaque lecture nouvelle découvre un aspect insoupçonné, œuvre inépuisable.

Il s'agit, si l'on veut, d'une odyssée, de l'histoire d'un esprit en quête finalement, non point du succès mondain, de la puissance, de l'or, de la femme, de la jouissance rêveuse, mais d'une vérité qui est celle de la création intellectuelle. Ainsi la vie de l'esprit est le véritable roman, lequel comporte des ruptures, des péripéties, des retours en arrière et des prémonitions, — roman discontinu, haché par des blancs, avec des temps forts et des temps faibles, des révélations et des déceptions, roman étrange, car son thème principal est le Temps lui-même, essence difficile à saisir, qui nous comprend plutôt que nous ne la comprenons. Récit fait d'interpolations successives, et pourtant qui dure, qui est continu, ressassement perpétuel du conteur.

Dans une lettre à Jacques Rivière, Proust refuse les épithètes de subjectiviste et de dilettante, son livre comportant, dit-il, une conclusion objective et croyante. Il sait où il va, mais comme l'auteur d'un roman policier, il nous laisse d'abord nous égarer. Le roman dit réaliste ou psychologique tient compte des ambitions spirituelles, il est parfois construit sur une thèse philosophique, mais thèse extérieure au récit qui l'illustre. Il est clair que la philosophie de Balzac n'est pas intégrée à son œuvre comme celle de Proust à la sienne. Balzac confond parfois l'or alchimique et l'ignoble métal, la passion spirituelle et la volonté toute terrestre de puissance.

Proust a été frappé par le caractère incomplet des grandes œuvres du xixᵉ siècle. Les écrivains de cette époque auraient, selon lui, manqué presque tous leurs livres. La véritable, la moderne beauté de ces livres tiendrait à la façon dont les auteurs se sont mis à les contempler d'un certain point de vue, leur conférant une unité rétrospective. Proust avance les noms de Balzac, de Hugo, de Michelet chez qui, par exemple, les préfaces jettent une lumière étrange sur l'ouvrage terminé. Cette unité serait plus réelle d'être née dans un moment ulté-rieur d'enthousiasme : « unité qui s'ignorait, donc vitale et non logique, qui n'a pas proscrit la variété, refroidi l'exécution ». La cohésion de la *Recherche* se révèle de même à la fin ; et cette fin est aussi un commencement. Ce que le Héros-Narrateur découvre, arrivé au but de son itinéraire, l'auteur Proust le sait au départ. Pour lui, l'auto-contem-plation moderne n'est pas un regard rétrospectif et critique, elle s'identifie à la genèse, au déroule-ment du roman lui-même. Le récit ne fait qu'un avec la révélation de son plan et de son sens, révé-lation d'une vérité qui nous permet à la dernière page de le relire à rebours comme dans un miroir où il prendrait sa forme achevée. La quête de la vérité est aussi recherche de l'œuvre, elle la rend possible, l'échafaudage fait partie de l'édifice.

Cette vérité pour se communiquer a besoin de s'incarner dans des faits, des images, des personnages, une construction. Dans une étude consacrée à Gœthe, Proust parle de ces faits qui traduisent *l'esprit de vérité et d'inspiration* et il ajoute que, pour certains, il peut s'agir « des odeurs qui remémorent le passé et font vivre dans la poésie, pour d'autres, autre chose ». Cette autre chose pourra être, par exemple, la façon de comprendre le rôle de la perspective, la disposition de tombes dans un cimetière. Chez Rembrandt, une luminosité spéciale, « *le jour même de la pensée* », provoque également une « *perspective extrêmement profonde de la chose observée* ». Cette lumière apparaît à la fois comme une réalité et un signe d'autre chose. Proust décélera encore chez Gœthe l'importance du site, des points de vue d'où l'on domine de vastes paysages, des panoramas. Il est frappé par le rôle particulier que joue dans *Les Affinités électives* l'art des jardins et des constructions. Dans *La Prisonnière* [1], le Héros révèle à Albertine que, chez Stendhal, un certain sentiment d'altitude est lié à une exaltation de la vie spirituelle, il énumère les hauts lieux ou observatoires suivants : la prison de Julien Sorel, la tour Farnèse, au sommet de laquelle Fabrice est enfermé, le clocher de l'église où l'abbé Blanès observe les étoiles et d'où Fabrice contemple une profonde perspective, le rocher d'où il admire le lac de Côme, la terrasse élevée de Verrières.

Si Proust a découvert l'importance des points de vue chez ses auteurs préférés, c'est que ce thème le hantait déjà. Nous verrons plus loin que, précisé-

---

1. *A la recherche du temps perdu,* bibliothèque de la Pléiade, trois volumes, T. III, p. 377.

ment, dans son œuvre propre, une certaine sensation met en branle la mémoire, et ouvre un panorama plus ou moins vaste. Déjà dans son premier ouvrage, *Les Plaisirs et les Jours*, il se montre préoccupé par l'idée de rassemblement : « il souffrait seulement de ne pouvoir atteindre immédiatement tous les sites qui étaient disposés çà et là dans l'infini de la perspective, loin de lui[1] ». Il est hanté par l'idéal d'un troisième œil capable de lire la profondeur du temps et d'organiser dans l'espace d'une œuvre littéraire les trois dimensions du réel. C'est ainsi que, chez Tolstoï, il est frappé par les *grandes surfaces réservées* qui spatialisent *La Guerre et la paix*, donnant une impression originale de vastitude. Sur ce point, il est rejoint par le romancier anglais Forster qui a écrit dans *Aspects du roman :* « Dès qu'on commence à lire *La Guerre et la paix*, de grandes cordes se mettent à résonner et nous ne pouvons dire exactement ce qui les a fait vibrer. Ces résonances ne proviennent pas du récit, ni des épisodes, ni des personnages. Elles naissent de l'immense espace russe sur lequel les épisodes et les personnages ont été disséminés. Beaucoup de romanciers ont le sentiment des lieux, très peu ont le sens de l'espace... c'est l'espace et non le temps qui est le maître de *La Guerre et la paix*. »

Comme l'a montré Georges Poulet, l'espace proustien est constitué par des lieux séparés et distincts et ne se reconstitue qu'à certains moments rares. Il n'en reste pas moins que Proust symbolise de préférence son œuvre par l'image d'une cathédrale qui se bâtit par pans.

1. P. 171.

Il étudiera chez Flaubert les procédés stylistiques employés pour faire sentir le passage du temps d'une scène à l'autre, d'un tableau à l'autre, c'est-à-dire pour mettre le temps en musique : changements insolites des temps grammaticaux ou « blancs » qui sans transition nous font sauter par-dessus les années. Dans *L'Education sentimentale,* où l'imparfait domine, un éclairage nouveau, créé par l'intrusion du présent, « opère un redressement dans le plan incliné et tout en demi-teinte des imparfaits ». Et Proust cite ce passage : « *C'était* une maison basse, avec un jardin montant jusqu'au haut de la colline, d'où l'on *découvre* la mer.* » Par rapport au temps du présent (*praestans,* qui se tient devant, debout), l'imparfait peut être considéré comme une flexion, une inclinaison vers un côté (*declinatio*). Variant les temps, le style flaubertien diversifie les plans, les organise en espace. Proust affirmera : « Le style est la marque de la transformation que la pensée de l'écrivain fait subir à la réalité... Dans le style de Flaubert... toutes les parties de la réalité sont converties en une même substance, *aux vastes surfaces,* d'un miroitement monotone. »

Nous verrons que Proust a conçu sa propre œuvre comme un rassemblement d'éléments disjoints, de tableaux séparés, de scènes qui se correspondent, de plans ou sédiments de durée réunis par des jointures précieuses, les phénomènes de mémoire. Et si Flaubert a mis en musique les changements de temps, les réminiscences joueront chez Proust le rôle de point de vue, d'instruments d'optique révélant une nouvelle perspective, transformant l'espace-temps, jusqu'au moment final où la vue d'ensemble, impossible à obtenir jusque-là, sera conquise.

Bâtie sur des correspondances de tous ordres, et en particulier sur des répétitions ou reprises de scènes, la *Recherche* peut apparaître, sa dernière page tournée, à un lecteur doué d'une certaine imagination dans l'espace, comme un ensemble ordonné, un monument qui présenterait tous ses aspects à la fois. Cependant, cette image qui permet de mieux comprendre le souci proustien du panorama, de la perspective unificatrice et rapprochante, n'est pas exclusive d'autres, fort différentes. On a parlé de la forme circulaire de la *Recherche*. Le schème de la spirale (qui exprimerait le retour à certains lieux, la récurrence de certains phénomènes), allié à l'idée d'une ascension vers un point de vue plus élevé, serait encore préférable. L'image, proustienne elle aussi, de l'exposition de tableaux rassemblés dans un musée, juxtaposés non pas arbitrairement mais en raison de leur aptitude à composer entre eux — image ou notion d'un espace illustré — a été choisie par Poulet comme la plus apte à donner l'équivalent de la structure de la *Recherche*. Le temps chez Proust serait une organisation et une concentration de l'espace, l'éternité une concentration du temps. A propos de l'église de Combray, il écrit par exemple : « Le temps y a pris la forme de l'espace. »

Toutefois ce mot de structure demeure ambigu. Il fait trop penser à une figure géométrique. La composition proustienne se justifie par le point de

vue, — point de vue qui n'est ni arbitraire ni subjectif mais absolu, et qui lui-même exprime une
différence qualitative de la vision, celle-ci étant
elle-même accommodée à ce qu'elle voit, c'est-à-
dire la patrie inconnue, le monde des essences que
l'art dévoile plutôt qu'il ne les invente. En ce sens,
le roman n'est rien d'autre qu'une Idée à la recherche de son corps, — Idée, essence ou patrie. A cette
forme, nous pouvons essayer de trouver un équivalent visible, un schème, toujours insatisfaisant
d'ailleurs.

Aussi bien, Forster a assimilé la forme des
Ambassadeurs d'Henry James à un cadran de
montre muni de deux aiguilles (les deux personnages principaux du roman) dont les positions respectives vont changer diamétralement avec le
temps. Illustration très suggestive, mais qui n'en
exclut pas une autre : celle, si l'on veut, d'un sablier
qu'une main, à un certain moment, retournerait.
Ces deux symbolisations sont parlantes, elles impli-
quent des mouvements inverses l'un de l'autre et
aussi l'écoulement du temps. Le symbole proustien
de la cathédrale ou de la salle de musée, c'est-à-
dire d'une vision d'ensemble, a le défaut d'être trop
statique. L'unité de la *Recherche* n'est jamais en
fait donnée à l'imagination synthétique du lecteur,
elle exige de lui, pour devenir manifeste, une vive
mobilité d'esprit et un dur effort pour s'identifier
au créateur, lequel domine tous les plans de son
œuvre, manie librement même l'involontaire et l'inconscient. Pour lui seulement, les morceaux disjoints se rejoignent comme au cours d'une cristallisation. Mais un planisphère de l'œuvre aussi
détaillé que possible, mettant à jour les correspon-

dances les plus ténues, ne suffirait pas à procurer ce que seule une lecture active permet : le sentiment du mouvement de la *Recherche,* de la lente conquête d'un point de vue définitif, après des révélations plus ou moins précaires. Avant d'atteindre la vérité, le Héros passe par tous les détours de l'erreur, qui est une perspective limitée à un espace étroit, à un temps trop bref.

La vision du romancier, sa façon d'*entendre* le monde et de le projeter hors de lui, prend son origine en deçà de la vision commune pour aboutir au-delà d'elle. Elle part du rêve ou de l'illusion, passe par la galerie des glaces de l'apparence, aboutit à l'intuition de la réalité ultime. L'œuvre est une genèse qui doit décrire les étapes d'une vocation, et aussi une apocalypse (révélation). Proust déclarait à Jacques Rivière : « Ce n'est qu'à la fin du livre, et une fois les leçons de la vie comprises, que ma pensée se dévoilera... Cette parenthèse sur le bois de Boulogne... est le contraire de ma conclusion. Elle est une étape, d'apparence subjective et dilettante, vers la plus objective et la plus croyante des conclusions [1]. » A Paul Souday, il parle de la composition voilée, qui se développe sur une large échelle. La composition proustienne est destinée en particulier à ménager des retours de tous ordres favorables à des réinterprétations. Une et concertée, elle circonscrit à l'intérieur de sa vaste unité la multiplicité de ces expériences, de ces répétitions et aussi de ces points de vue limités à une seule image ou cliché. De sorte qu'il n'est pas nécessaire

---

1. Marcel Proust et Jacques Rivière, *Correspondance 1914-1922,* Ed. Plon.

d'avoir devant les yeux la structure assez compliquée du roman pour saisir l'élan, le sens, les volutes
de l'art proustien. Chaque phrase de Proust reprend
à la source le travail de la découverte, ce lent mouvement d'encerclement qui lui est propre, élucide et
cerne peu à peu l'essentiel. Chacune reflète comme
une petite monade la structure du macrocosme.

A son degré le plus simple, la composition de la
Recherche repose sur un diptyque : correspondance
entre deux scènes, deux sections de l'espace-temps.
Proust a comparé son ouvrage à une immense
caisse de résonance. Il dégage lui-même chez ses
auteurs favoris, Tolstoï et Dostoïevsky, l'usage
inconscient (et donc d'autant plus révélateur) de la
double scène ou de la double face d'un personnage. Il donne l'exemple de deux épisodes qui se
répondent à vingt ans de distance dans *Les Frères
Karamazov*. Chez Tolstoï, il discerne des thèmes ou
des situations qui reparaissent d'un roman à
l'autre : « Lévine, d'abord écarté par Vronsky,
puis aimé par Kitty, fait penser à Natacha quittant
le prince André pour le frère de Pierre, puis lui
revenant [1]. » Il dégage dans les romans de Barbey
d'Aurevilly la récurrence de certains signes maté-
riels révélant une réalité dissimulée. Il repère
divers parallélismes dans l'œuvre de Thomas
Hardy, géométrie des blocs de pierre dans *Jude
l'Obscur,* parallélisme des tombes dans *les Yeux
bleus ;* parallélisme de situation dans *le Bien-*

---

1. *Contre Sainte-Beuve,* Gallimard, p. 421.

Aimé (l'homme qui aime trois femmes) et dans *les Yeux bleus* (la femme qui aime trois hommes).

A ces équivalences correspond sur le plan psychologique le dualisme d'un Dostoïevsky. La *beauté nouvelle*, chez lui, se signale par l'éclat changeant de ses visages de femmes, — visages doubles comme Janus. Le romancier russe tient compte de ces effets de duplicité, il peint comme Elstir l'illusion qui nous frappe, il part de l'apparence, des croyances qu'on rectifie peu à peu. Cependant, ces effets de perspective s'unifient dans une vision personnelle, unique. Tous les livres de Dostoïevsky pourraient s'intituler *Histoire d'un crime*.

Ces parallélismes, agencés en fonction d'une certaine perspective, se diversifient à tous les niveaux de l'œuvre. Ils nous donnent la clé de l'originalité de Proust.

Le diptyque, ou correspondance simple, représente ce qu'on nomme en géométrie une homothétie, laquelle est parfois directe, parfois inverse. Et l'on rencontre souvent chez Proust cette homothétie ou réflexion : elle marque des ressemblances et des différences psychologiques ou poétiques. Ainsi la dispute entre le maître d'hôtel des Guermantes et le maître d'hôtel de la famille du Narrateur dessine une figure qui répond (sous une forme que Proust qualifie de « brève, *invertie* et cruelle ») à une autre scène, laquelle vient d'être décrite [1] : Norpois insultant Bloch chez madame de Villepa-

1. Cf. II, p. 296.

risis. A cette métaphore ou correspondance structu-
rale fait écho sur le plan psychologique la *dualité*
des visages d'Odette aussi bien que d'Albertine.
C'est ainsi que, dans « Miss Sacripant », Elstir a
peint une Odette jeune femme en travesti et aux
traits ambigus. Nous voyons encore Swann quitter
sa maîtresse. Il est heureux et calme, et se complaît
à se rappeler le dessin de son sourire, railleur pour
les autres, tendre pour lui. Mais aussitôt la « jalousie aux yeux verts » (Shakespeare) — et Swann a
les yeux verts effectivement —, la jalousie projette un double d'ombre de ce sourire. Sourire
« *inverse* » qui « raillait Swann et se chargeait
d'amour pour un autre [1]... ». D'ailleurs Odette se
dédouble d'une autre façon : Proust nous dit que
Swann fut un temps l'amant de la sœur de sa maîtresse [2].

A un niveau supérieur à l'analyse sociale ou à la
psychologie des sentiments, au niveau poétique de
la réminiscence, un phénomène analogue a lieu :
l'épiphanie peut être comparée à un trompe-l'œil,
car elle fait voir double, à la fois dans le passé et
dans le présent, puis à un stéréoscope qui, de deux
images planes, crée une profondeur.

La « mise en abîme » n'est rien d'autre encore
que la construction d'une profondeur infinie. Les
œuvres d'art imaginaires d'Elstir ou de Vinteuil
constituent des reflets, dans un miroir exigu, du
Roman tout entier. Par exemple, Elstir peint, dans
Le Port de Carquethuit, de véritables mirages. Et à
mesure que les parties du Roman, initialement au

1. Cf. I, p. 276.
2. Cf. III, p. 301.

nombre de trois, deviennent, au cours de la composition, cinq, puis six, puis sept, le morceau de musique de Vinteuil qui devait être joué lors de la dernière Matinée, de Quintette devient Sextuor, puis Septuor[1]. Mais la composition du Roman est complexe et compliquée. Le diptyque devient souvent triptyque. C'est ainsi que l'épisode capital de Montjouvain (manifestation du sadisme, de l' « enfer », de l'homosexualité féminine) est préparé par trois épisodes, révélation de l'indécence secrète de Gilberte[2], première épiphanie, du côté de Méséglise, de l'extase poétique (le *reflet* d'un toit dans une mare), épisode de la prise de conscience vague du désir sensuel dans le bois de Roussainville.

D'ailleurs, une phrase qui n'a l'air de rien nous signale que le Héros a éprouvé alors, plus d'une fois, une exaltation confuse qui n'avait pas encore subi un « lent et difficile éclaircissement » : « ... la *haie* de Tansonville, les arbres du *bois* de Roussainville, les *buissons* auxquels s'adosse Montjouvain... entendaient des cris joyeux, qui n'étaient que des idées confuses[3] ».

La haie, les arbres, les buissons cachent en effet quelque chose, comme les trois arbres d'Hudimesnil suggèrent une vérité non encore élucidée, comme le feuillage voile les formes nettes de l'église de Carqueville. Derrière le buisson d'aubépines, le regard fixe de Gilberte, son sourire plein de dissimulation, son geste font signe vers quelque chose. La marbrure rose, reflet du toit de tuile dans

1. Cf. M. Butor, *Répertoire II, Les Œuvres d'art imaginaires chez Proust.*
2. I, p. 141.
3. I, p. 154.

la mare de Montjouvain, esquisse un *pâle sourire* qui *répond* au sourire du ciel, et le Narrateur sent qu'il aurait le devoir de voir plus clair dans son ravissement. Les arbres du bois de Roussainville remplissent le héros d'un émoi inconnu, ils se transforment parfois en dryades, en paysannes, spécialement en une fille « criblée de feuillage » (sans doute de taches de rousseur) : le nom de Roussainville évoquant d'ailleurs la rousseur du Type proustien et celle de Gilberte en particulier, son donjon étant le double infernal du clocher de Combray, les ruines étant un lieu de rendez-vous pour les enfants du village [1], sa tour étant contemplée avec intensité par Marcel à travers le carreau de la fenêtre du petit cabinet sentant l'iris. Ces arbres, également, font signe. C'est alors qu'un autre cliché de lanterne magique, un quatrième et dernier épisode, vient éclairer ces pressentiments vagues. Caché dans le buisson, Marcel, à travers une fenêtre (entrouverte également), assiste à une scène érotique d'une lenteur fascinante. Mais si ce dernier cliché explique, éclaire les précédents, il exige encore lui-même une élucidation. Proust va faire correspondre à cet épisode dont l'impression, nous dit-on, est restée obscure [2], un *double* qui va l'éclairer.

Albertine prend ici la place de mademoiselle Vinteuil. *Sodome et Gomorrhe* se clôt en effet sur l'aveu d'Albertine (« cette amie, c'est celle de mademoiselle Vinteuil »), qui est le Sésame ouvrant une fenêtre sur l'enfer, sur Balbec, sur Montjouvain.

1. III, p. 694.
2. I, p. 159.

« C'est cette scène que je voyais derrière celle qui s'étendait dans la fenêtre et qui n'était sur l'autre qu'un voile morne, *superposé comme un reflet* [1]. » Mais déjà, dans *Sodome et Gomorrhe,* la scène de Montjouvain avait joué un rôle de clé : précisément lors de l'épisode de la conjonction de Jupien et de Charlus à laquelle le Narrateur assiste consécutivement à travers trois fenêtres différentes.

On comprendra mieux, sans doute, maintenant, ce que signifient les jeux optiques proposés par tant d'instruments, ou par des fenêtres, ou par des points de vue. La structure même de l'œuvre *reflète* la recherche proustienne, comme les tableaux des peintres de la Renaissance incarnent leur préoccupation perspectiviste. Proust dispose son œuvre en tableaux, en prédelles ou pans qui doivent, à un certain point de vue, devenir réfléchissants les uns pour les autres, ou, au moins, capables de constituer un panorama en profondeur, une cathédrale à quatre dimensions.

La correspondance entre deux épisodes possède son équivalent à tous les autres niveaux de lecture du Roman. Un dernier point privilégié doit permettre enfin de comprendre les points de vue particuliers, de les déplier, de les expliquer. La perspective et la « réflexion » auront un rôle primordial dans la constitution de l'Œuvre puisque la vérité

---

1. Le Narrateur continue : « Elle semblait elle-même, en effet, presque irréelle, *comme une vue peinte...* scène imaginaire... déliée, *interpolée,* plus inconsistante encore que l'image horrible de Montjouvain qu'elle ne parvenait pas à annuler... » Cf. II, pp. 1129-1130.

finale résulte rigoureusement de l'exposition des erreurs, ou apparences successives. La Comédie des erreurs est l'Histoire de la vérité. Ainsi telle remarque apparemment anodine prend toute son importance : « ... le clair de lune, qui *doublant* et reculant chaque chose par l'extension devant elle de son *reflet*, plus dense et plus concret qu'elle-même, avait à la fois aminci et *agrandi* le paysage *comme un plan replié jusque-là qu'on développe* ». Sans vouloir mener loin une comparaison avec les mathématiques qui risquent toujours de rester au stade de l'analogie rhétorique, signalons en passant que, dans cette science, la notion de perspective est aussi liée à celle de structure. Les géomètres du xviiie siècle, Desargues en particulier, étudiant le champ de la géométrie projective — ou étude des points alignés entraînant des propriétés de droites concourantes — ont mis en évidence une structure : l'invariance projective.

Möbius, d'autre part, parmi les géomètres modernes, a distingué des structures dérivant, les unes du point de vue global, les autres d'un point de vue local. Ainsi la fameuse surface qui porte son nom possède une structure unilatérale, mais peut se diviser en morceaux à structure bilatérale.

Toutefois, une comparaison avec la pensée de Leibniz (celle-ci d'ailleurs en symbiose avec ses préoccupations mathématiques), et bien que ce philosophe ne soit cité que deux fois, incidemment, dans la *Recherche*, semble devoir être plus féconde. Le thème de la monade, point de vue, reflet et composante de l'univers, court à travers tout le Roman (cf. l'image fréquente de la bulle irisée).

Il est clair que la perspective comme thème

domine la pensée contemporaine : chez Nietzsche et dans la phénoménologie, chez les théoriciens de l'art (Panofski, Baltrusaitis, Francastel), chez les théoriciens du roman (Henry James, Percy Lubbock, Sartre, Butor, Robbe-Grillet). Mais déjà, chez Leibniz, à mesure que le penseur transporte son point de vue de la circonférence au centre, les choses changent d'aspect. Chaque monade est comparable à un miroir de l'univers qu'elle représente à son poste. Elle ne peut lire en elle-même que ce qu'elle se re-présente exactement. Elle ne développe pas (n'explique pas) d'un coup ses implications, ses replis qui vont à l'infini. De plus, elle se définit par sa *différence,* c'est-à-dire son point de vue, lequel se traduit pour nous par une position dans l'espace. Un corps organisé peut être symbolisé par un appareil de perspective où certaines impressions reçoivent un relief particulier. Le rapport des phénomènes à la réalité est analogue à celui des diverses perspectives à leur géométral, celui-ci étant une *ichnographie* (plan géométral et horizontal d'un édifice par opposition à la *stéréographie,* représentation sur un plan perpendiculaire à l'horizon). Les diverses perspectives peuvent elles-mêmes se comparer à une *scénographie,* art de peindre et de disposer les décors de théâtre en perspective. Au contraire, le géométral donne la vraie grandeur proportionnelle, sans tenir compte des apparences. Le paragraphe 57 de la *Monadologie* annonce déjà toutes les descriptions perspectivistes de Proust : « *Et, comme une même ville regardée de différents côtés paraît tout autre, et est comme multipliée perspectivement,* il arrive de même que, par la multitude infinie des substances simples, il y a comme autant de différents univers, qui ne sont pourtant que les perspectives d'un seul selon les différents points de vue de chaque monade. » Ces univers se distinguent absolument par ce que Proust nomme la *différence qualitative,* différence qui, « s'il n'y avait pas l'art, resterait le secret éternel de chacun [1] », différence qui est couleur jaune chez Vermeer, rousseur chez Gilberte, amarante dans le nom de Guermantes, lumière pensante chez Rembrandt. Chaque artiste est un opticien : il nous permet de discerner, de voir les choses dans leurs irisations respectives. La mise en perspective favorise, par cette diversification des aspects, l'établissement du géométral de telle ville ou de tel bâtiment, l'essence locale de Combray, par exemple. Par la « mise en abîme », par la création d'une dimension « infinie », elle peut faire mieux encore : permettre la répétition : « Chaque œuvre d'art est la même et pourtant autre [2]. »

La répétition se produit à tous les plans du Roman proustien. L'épiphanie ouvre un espace en profondeur constitué de lieux essentiels, elle fait aussi sentir le temps pur dans la fulguration de l'instant où se joignent passé et présent. Au niveau de l'œuvre d'art, elle reproduit ce qui revient, car « tout doit revenir ». Deleuze affirme dans une excellente formule : « ... (l'essence) n'a pas le pouvoir de diversifier et de se diversifier, sans avoir aussi la puissance de se répéter ». Ces deux pouvoirs cependant ne demeurent inséparables que dans la seule œuvre d'art. Deleuze écrit aussi :

1. III, p. 895.
2. III, p. 259.

« L'inconscient en amour, c'est la séparation des deux aspects de l'essence, différence et répétition. »

Nous nous heurtons ici à une autre idée, liée à celle de la *mise en abîme*. Le mouvement *perpétuel et heureux* de la dernière musique de Vinteuil, l'*adoration perpétuelle* dans l'éternel retour, le oui dit à la vie et à la mort, le *yes, yes,* dernier mot du long monologue érotique de la femme de Bloom, à la fin de l'*Ulysse* de Joyce, que ramènent-ils au juste dans la joie extatique qui dépasse toute crainte de destruction ? Comment l'épiphanie proustienne, laquelle ne se produit jamais à volonté et demeure soumise aux caprices du hasard, peut-elle, de ce hasard, tirer le double-six ? Kierkegaard parle d'un pari absurde qui, grâce à un acte de foi, se *dédouble* en volonté de croire à l'impossible. Nietzsche fait du hasard un objet d'affirmation. Mais Proust ne peut que faire confiance à la promesse de résurrection de l'Ange d'or, au symbolisme des phénix de saint Marc. Le dernier Nietzsche, évitant l'écueil d'une hypothèse écrasante, et de sa formule banale, celle du cycle, voit son salut dans une réduplication, une réaffirmation de l'affirmation : *Dionysos est un miroir dans son miroir.* A l'âne (le chercheur) chargé de mémoire et de reliques et à son ia-ia, il oppose le créateur qui dit oui deux fois. Pour Marcel Proust, l'œuvre se bâtissant, grandissant, ouvrant autour d'elle un réseau de routes de plus en plus riche, s'affirme aussi comme une grande Mémoire, anamnèse salvatrice, miroir dans le miroir qui redouble et répète. Mais ce miroir, que répète-t-il ? Sans doute ni l'Autre ni le Même. Mieux encore, il se symbolise

lui-même, s'explique continuellement, vivant paradoxe du Crétois.

Le second chapitre de cette étude est consacré
au *Jardin de la Raspelière,* lui-même symbolisé par
la Villa d'Hadrien. Ce Jardin n'est pas aussi célèbre
que les clochers de Martinville, mais sa description
met à jour plus explicitement les relations des
points de vue et du panorama, problème cardinal
du Romancier. Au niveau de la poésie, les promenades semi-circulaires qu'il propose aux hôtes des
Verdurin figurent *l'épiphanie* réminiscente, laquelle
rassemble, raccorde, et, tel un altimètre, mesure la
profondeur temporelle. Au niveau sociologique, le
Jardin a, comme répondant, mademoiselle de
Saint-Loup. A celle-ci (comme à la Vierge de
l'échelle de Jacob de Balbec, remarque Michel
Butor) aboutissent, en lignes concourantes, deux
files d'ancêtres, selon la chair et selon l'esprit. Elle
remplace finalement Albertine, laquelle, jouant le
dernier Vinteuil, était d'ailleurs déjà la « fille » et,
charnelle et spirituelle, de l'amie de mademoiselle
Vinteuil, et remplaçant Morel, après la mort de
mademoiselle d'Oloron, nièce de Jupien, devient la
véritable fille adoptive de Charlus. Elle est le dernier rejeton de l'arbre de Jessé, en même temps que
le point de fuite où se joignent idéalement les deux
côtés de Combray et aussi les deux côtés de l'Enfer
de Balbec (côté Gomorrhe avec l'amie de mademoiselle Vinteuil et Albertine, côté Sodome avec Char-
lus-Saint-Loup-Morel). Point de fuite et, inversement, lieu de rencontre focal, « étoile » de
carrefour en forêt de Fontainebleau, jardin bota-
nique de toutes les filles en fleurs, abrégé des *côtés*
géographiques et sexuels. Butor imagine ingénieu-

sement mademoiselle de Saint-Loup en organiste
d'un morceau idéal, la Variation religieuse *hyper-
prismatique* de Vinteuil où les différents timbres
du Septuor seraient repris et rassemblés dans un
instrument unique. (Le terme d'hyperprisme est
sans doute bâti par Butor à partir de l'*hypercube,*
représentation géométrique très curieuse de la quatrième dimension.)

Le troisième chapitre est consacré à une œuvre
réelle, *Saint Hilaire,* ou, si l'on veut, œuvre qui a
une certaine réalité biographique — Illiers — bien
qu'elle soit transposée dans l'imaginaire. L'église
de Combray et son clocher, archétype de toutes les
autres églises du Roman, est l'allégorie, la figure la
plus complète (dans le sens à la fois poétique et
biblique du terme) du Livre. Raccourci temporel,
musée, signe de transcendance par son clocher, elle
symbolise, d'une manière différente de celle du
Jardin de la Raspelière, cet ensemble d'ensembles
(la Villa d'Hadrien) qu'est le Roman proustien.
Observatoire observé, elle permet de voir et elle est
vue au cours de promenades circulaires, lesquelles
annoncent et préparent d'autres promenades, étu-
diées dans le quatrième chapitre intitulé : *Apparitions et signes.*

Aux êtres et aux lieux, font pendant les œuvres
imaginaires d'Elstir (chap. V), de Vinteuil et de
Bergotte (chap. VI), univers en réduction, répétition en abîme de la structure globale du Roman,
résumé des thèmes ou tables récapitulatives. Architecture, effets optiques, dualisme psychologique,
répétition sont des thèmes communs, mais diversi-
fiés, de ces œuvres.

Les œuvres d'art, réelles ou imaginaires, peuvent,

chacune à son poste, être appelées des phénoméno-
logies de l'imagination créatrice. Retournant le sens
du fameux distique de Platon :

Lorsque tu regardes les étoiles, oh ! mon étoile,
[je voudrais être le ciel
Aux mille yeux pour te contempler de ma
[hauteur

Hégel affirme que l'art fait de chacune de ses
figures un *Argus aux cent yeux* (chap. VII), afin que
l'âme apparaisse en tous les points de la phéno-
ménalité.

Pour Proust, le psychologue (le jaloux) doit aussi
devenir un Argus. Le véritable voyage d'initiation,
ce sera de voir l'univers avec les yeux d'un autre,
de cent autres, de multiplier les perspectives sur
les êtres [1]. Le romancier, utilisant divers angles de
prises de vue, fera d'abord monstrueusement proliférer les aspects d'un personnage, ses réflexions,
dissociations et métamorphoses. Fantastique féerie
exprimant à la fois la multiplication des regards et
celle des moi. Il conviendra d'attacher cent masques
au même visage.

Par nature, le monde des possibles s'ouvre plus
largement aux yeux de Marcel que celui de la
contingence réelle [2]. Dans la variété des hypothèses,
il croit pouvoir choisir comme dans un jeu de
cartes [3]. Il pratique une méthode de rectification et
de preuves par « différentes suppositions de lignes

1. III, p. 258.
2. III, p. 24.
3. III, p. 123. Cf. le poème de Supervielle :
   Je bats comme des cartes
   Malgré moi des visages...

et de couleurs que hasarde la première vue [1] ».
Déchiffrages rapides qui l'exposent d'ailleurs à
l'erreur. A ces multiplications des possibles, correspondent les hésitations du Narrateur à propos d'un
Nom. Quelquefois le Nom voyage avant de se poser
sur l'être qui le porte. C'est ainsi que, prononcé
sur la plage par une inconnue, lu sur le registre du
Grand Hôtel, le Nom d'Albertine a d'abord été
attribué à plusieurs inconnues. (Le même phénomène s'est produit déjà lors de la première audition de la Berma : tout à coup l'actrice surgit
comme une figure cachée dans un arbre d'une
image-devinette, et dissipe les hypothèses, assume
son Nom [2].)

Le Nom pour Proust résume l'essence ; et l'analyse psychologique est comparée à l'étymologie.
(Le plan primitif de l'Œuvre, laquelle devait être
distribuée en un triptyque, aurait dû à un certain
moment comprendre trois étapes : *l'âge des Noms,
l'âge des mots* et *l'âge des choses.*) En effet, si
chaque être doit proliférer, tel un monstre baroque,
en multiples faces ou phases, si le romancier doit
faire varier au maximum ses points de vue, n'oublions pas qu'il est aussi à la recherche d'une vérité
vers laquelle il s'agit de remonter par approfondis-
sements successifs, par choix et éliminations, à
l'instar des philologues.

L'individu apparaît comme un polypier de moi
juxtaposés et variables. Les êtres se griment,
portent des masques, se transforment comme dans
une féerie démoniaque ; ils émettent des signaux

1. I, p. 797.
2. I, p. 448.

trompeurs, incomplets ; ils simulent. Proust dira que la nature que nous faisons apparaître dans la seconde partie de notre vie s'avère quelquefois une nature *inverse* de la première [1]. La nature de Morel, comme tel dessin d'étoffe jetée au hasard que le Vinci a fait, est comparable à un papier froissé puis déplié [2], c'est-à-dire quasi illisible.

Les corps et les âmes varient d'aspect en fonction de leur évolution intérieure et aussi du changement de position de l'observateur. La personnalité sociale des êtres est une création de la pensée des autres [3], eux-mêmes n'arrivant pas à se connaître et à se prévoir d'un moment à l'autre, « une personne n'étant jamais une voie droite [4] », mais courbe, en spirale, enveloppée comme les chemins de Martinville, de Beaumont, de Combray. Swann imaginant la vie d'Odette (ou plutôt la partie de cette vie qu'il ne connaissait pas) comme identique à celle qu'il connaissait, se dupait lui-même [5].

Pourtant la jalousie cherche à lire le palimpseste illisible sous le premier texte bénin. L'amateur de psychologie sociologique fait tomber les nombreux masques factices derrière lesquels se cache le mondain [6]. Avant Proust et Sartre, William James affirmait qu' « un homme a autant de moi sociaux qu'il y a d'individus à le connaître et à se faire de lui une idée ou une opinion quelconque ». Proust essaie constamment, et quelquefois simultanément, de maintenir deux thèses opposées. D'une part, il

1. I, p. 434.
2. II, p. 1034.
3. I, p. 19.
4. I, p. 896.
5. I, p. 359.
6. III, p. 953.

s'affirme un maître de l'induction, de l'analyse indi-
recte, il insiste sur tous les pièges que nous tend
l'interprétation des gestes, des sourires, des paroles,
il tente d'établir un catalogue des motifs multiples
d'un acte ; d'autre part, à son impressionnisme
empirique et associationniste, s'oppose parfois une
certitude : dans un premier regard fulgurant, dans
un clin d'œil, un être se met à nu tout entier, et
cette épiphanie n'exige aucun raisonnement, ne
réclame l'intervention d'aucune induction. Communication directe quasi magique. A la recherche de
la personnalité et de son essence comme on est en
quête d'un objet perdu[1], Proust peut parfois se
mettre à la place d'un autre (« pour comprendre
les souffrances d'un Swann, j'avais essayé de me
mettre à la place de celui-ci[2] »), capter le caractère
d'un individu à travers les diverses perspectives
temporelles, derrière les masques cruels ou bur-
lesques[3]. Il parlera par exemple du *type fixe*
d'Odette[4].

Entre ces deux thèmes, nous ne pouvons pas plus
choisir que l'auteur, l'hésitation exprimant l'originalité proustienne. Au sens aigu de la multiplication, de la perversion des moi, de leur proliféra-
tion, de leur exubérance insensée, de leur duplicité « en abîme », à la féerie dionysiaque et homo-
sexuelle, s'oppose chez Proust « une belle âme »
qui croit en l'existence d'une personnalité incom-
municable, d'un monde identique, qui veut capter
un moi, un type, un nom *propre*. Le joyeux mes-

1. II, p. 68.
2. II, p. 834.
3. III, p. 943.
4. I, p. 917.

sage de l'Ange d'or de Venise (que tout doit revenir) est-il celui de la répétition du Même ou celui
de la fascination vertigineuse de la métamorphose ? La répétition authentifie-t-elle seulement le
multiple et non le Même ? Existe-t-il un moi donné
par la réflexion ? ou plutôt la réflexion des miroirs
à l'infini (tels ceux de l'hôtel de passe de Maineville) ne fait-elle que projeter dans une perspective « en abîme » l'illusion d'un moi ? Quelle est la
vérité de la réflexion et quel est son piège ? Ouvre-
t-elle l'abîme ou fournit-elle un sol, une base, un
haut lieu ? La vérité gît-elle dans la descente ou
l'ascension ?

Le problème cardinal de la psychologie proustienne, examiné dans les chapitres VIII et IX, n'en
reste pas moins, comme chez Dostoïevsky, celui de
l'ambiguïté, de la dualité, du *visage double,* du
couple.

L'amie de mademoiselle Vinteuil est jugée par le
musicien lui-même « une femme supérieure, au
grand cœur [1] ». Elle est aussi une « artiste du mal ».
C'est pourtant elle qui, après la mort de Vinteuil,
déchiffrera, démon puis ange tutélaire, les manuscrits à peine lisibles de l'artiste. Et chez mademoiselle Vinteuil, elle-même âme double, luttent sans
cesse « une vierge timide et suppliante » et un
« soudard fruste et vainqueur [2] ». Les traits de son
père (insultés par son amie qui crache sur sa photographie) et les yeux bleus de sa mère sont profanés
doublement dans le visage de la fille.

La plupart des personnages d'ailleurs forment
des couples nés par déhiscence d'un Androgyne pri-

1. I, p. 147.
2. I, p. 161.

mitif. Et cette dualité se reflète dans les Noms. Il y a Léa et Rachel (associés par l'échelle de Jacob biblique), Charles (Swann) et Charlus, Odette et Oriane (dont les noms ont le même nombre de lettres et commencent par un O), Gilberte et Albertine, anagrammes l'un de l'autre (comme Elstir l'est de Whistler, d'où le *wh* serait tombé).

Mais l'essence ne sera pas aussi facile à saisir dans une personnalité morale ou un type sociologique que dans l'œuvre d'art. La Berma, autre artiste imaginaire à côté d'Elstir, de Vinteuil, de Bergotte, permet à Marcel, grâce à son art prestigieux, de saisir, après deux tentatives infructueuses, l'essence de l'actrice. La voix, la pantomime de la Berma ne sont pas des objets, mais des signes qui dirigent notre regard vers autre chose, un archétype : *Phèdre*. Elle est alors transparence pure et, comme dit Proust lui-même, significativement, *une fenêtre ouverte sur un chef-d'œuvre*, un dévoilement qui se dévoile lui-même, une lumière pensante comme celle de Rembrandt. Sans doute, la personnalité, chez Proust, ne s'éclaircit qu'éclairée par ce qu'elle reflète plus ou moins richement : l'Idée, la Fée, la Déesse. Il existe par exemple un Type aristocratique qui « éclaire » Oriane ; en effet, les Guermantes ont une origine fabuleuse : la fécondation mythologique d'une nymphe par un Oiseau divin [1]. D'ailleurs, selon le plan primitif de Proust, Gilberte rousse devenait duchesse de Guermantes [2] — nom mordoré — et mademoiselle

1. Cf. II, p. 439. Sans doute un *cygne* (auquel est souvent comparée Oriane), c'est-à-dire un *signe* (= *Swann,* le prototype du Narrateur, cygne en anglais).
2. Cf. III, pp. 669-671, 674.

de Saint-Loup, déesse de la Jeunesse — Guermantes comme madame Verdurin — devait épouser le Héros-Narrateur, unissant les trois passions incomplètes de ce dernier pour sa grand-mère (Odette), pour sa mère (Gilberte) et sa grand-tante (Oriane).

De même, Albertine, aux yeux de son amant, apparaît comme « une des incarnations de la petite paysanne française », de la dryade de Roussainville ou de la statue de Saint-André-des-Champs.

Dans le chapitre X, intitulé *La porte d'or de l'imagination et la porte basse de l'expérience,* est traité le problème du Type poétique. L'imagination allégorique forge un mythe. Ce mythe, tel un réflecteur, vitrail ou prisme, diapre de différences le monde de la passion aussi bien que le monde des salons. L'expérience du Narrateur perd sa particularité, elle s'universalise, car elle répète, bien que selon une liturgie différente, la même passion type. Le *Type poétique* qui est une projection (laquelle n'est pas purement subjective d'ailleurs) permet d'expliquer la genèse du réel à partir de l'activité imaginaire. Le mythe interprète la réalité ou, même, la constitue comme les nombres imaginaires mesurent des distances réelles. L'imagination, aussi bien que le sentiment et la mémoire, crée sa propre perspective, essentielle à l'action romanesque et aux jeux de l'erreur et de la vérité.

Dans le dernier chapitre, on a essayé de mettre en évidence la réciprocité, *le va-et-vient qui relie constamment,* dans le roman proustien, le point de vue technique au point de vue philosophique, *la perspective romanesque à la perspective spirituelle.*

Chemin sinueux, parfois interrompu, qui monte

en spirale comme celui de *La Divine Comédie,*
cathédrale habillée de feuilles (ou voilée de brouillard qui se défait) et qui prend forme par pans successifs, poème théologique ou échelle de Jacob,
prisme, télescope, lanterne magique ou horloge
astronomique, abrégé et synthèse, prédelle, retable
ou Musée, palais de glaces ou des *Mille et Une Nuits,*
labyrinthe, Odyssée faite de multiples retours, de
réminiscences, de reconnaissances où l'Inconnu(e)
tient lieu de Pénélope, voyage d'exploration, d'apprentissage et d'initiation, survol et panorama,
recueil de planches de perspectives curieuses, cercle
fait de cycles divers ou anneaux, haut lieu et jardin
de la Raspelière, blason en abîme et symphonie
englobant d'autres morceaux musicaux, robe et
roman policier, poème et Mémoires, tableau de la
société française de Mac-Mahon à la première
après-guerre et essai métaphysique sur les thèmes
du temps, de l'espace et de la perspective : la
Recherche, œuvre essentiellement équivoque,
appelle et accepte de multiples interprétations,
— elle est un étonnant appareil de perspective.

II

LE JARDIN DE LA RASPELIÈRE
OU LA VILLA D'HADRIEN

Proust souligne, dans un essai de *Contre Sainte-Beuve*, l'importance chez Stendhal des bois de Vergy, de la terrasse de Verrières dans *le Rouge et le Noir*, du rocher au bord du lac de Côme dans *la Chartreuse de Parme*, hauts lieux d'où l'on surplombe et embrasse une « belle nature », dans le sens que le XVIII⁰ siècle, amateur de jardins, donnait à ce mot, c'est-à-dire nature ordonnée comme une perspective de théâtre par la main humaine. Or, dans sa préface à *Contre Sainte-Beuve*, il nous dépeint l'expérience qui jouera un rôle cardinal dans la *Recherche :* un phénomène de réminiscence involontaire. La saveur de la biscotte (qui deviendra, dans *Du côté de chez Swann,* une madeleine !) trempée dans du thé (figure de la communion) déploie aux yeux de l'écrivain *tout un jardin* « jusque-là vague et terne, qui se peignit, avec ses allées oubliées, *corbeille par corbeille,* avec toutes ses fleurs, dans la petite tasse de thé, comme ces fleurs japonaises qui ne reprennent que dans l'eau[1] ». La métaphore sera répétée

1. *Contre Sainte-Beuve,* p. 54.

avec quelques modifications dans le texte de la
Recherche :

> « Et comme dans ce jeu où les Japonais
> s'amusent à tremper dans un bol de porce-
> laine rempli d'eau, de petits morceaux de
> papier jusque-là indistincts qui, à peine y
> sont-ils plongés, s'étirent, se contournent, se
> colorent, se différencient, deviennent des
> fleurs, des maisons, des personnages *consis-*
> *tants et reconnaissables,* de même maintenant
> *toutes les fleurs de notre jardin* et celles du
> parc de M. Swann, et les nymphéas de la
> Vivonne, et les bonnes gens du village et leurs
> petits logis et l'église et tout Combray et ses
> environs, tout cela qui prend forme et soli-
> dité, est sorti, ville et jardins, de ma tasse de
> thé [1]. »

L'odeur et la saveur portent sans fléchir bien que
très frêles, comme une ligne de terre inébranlable,
l'édifice immense du souvenir. Ces deux impressions ouvrent soudainement un aspect panoramique :

> « ... *ausitôt la vieille maison grise sur la rue,*
> *où était sa chambre, vint comme un décor de*
> *théâtre s'appliquer au petit pavillon donnant*
> *sur le jardin,* qu'on avait construit pour mes
> parents sur ses derrières (ce pan tronqué que
> seul j'avais revu jusque-là) ; et avec la mai-
> son, la ville, *depuis le matin jusqu'au soir et*
> *par tous les temps,* la Place où on m'envoyait
> avant déjeuner, les rues où j'allais faire des

1. I, p. 47. A remarquer la dernière expression, qui fait
penser au langage du théâtre : côté cour, côté jardin de la
même scène.

courses, les chemins qu'on prenait si le temps était beau. »

L'hypermnésie dispose l'espace par pans (d'où l'expression « décor de théâtre ») à partir de la chambre de tante Léonie comme centre : de cette chambre on passe à la vieille maison, au petit pavillon donnant sur le jardin, puis à la ville, puis enfin aux chemins qui mènent alentour. Et la ville est restituée également dans ses aspects temporels et même atmosphériques : depuis le matin jusqu'au soir et par tous les temps. Au contraire la mémoire volontaire ne laissait visible que le petit pavillon :

> « ... en un mot, *toujours vu à la même heure, isolé de tout* ce qu'il pouvait y avoir autour, se détachant seul sur l'obscurité, le décor strictement nécessaire (comme celui qu'on voit indiqué en tête des vieilles pièces pour les représentations en province) au drame de mon déshabillage ; comme si Combray n'avait consisté qu'en deux étages reliés par un mince escalier et *comme s'il n'y avait jamais été que sept heures du soir* [1]. »

Ce décor du drame enfantin (d'où les métaphores scéniques) vient d'être comparé quelques lignes plus haut à un pan lumineux, au sectionnement créé par une projection électrique dans un édifice qui demeure en grande partie plongé dans l'obscurité. L'instant magique de l'hypermnésie au contraire déplie, déploie, colore le paysage de jadis qui devient une belle vue à vol d'oiseau comme on en faisait au XVIIIe siècle. Et simultanément il diversifie le temps unique et contracté par l'angoisse

1. I, p. 43-44.

de l'enfant qui craint de s'endormir seul, en une
variété de temps. Et, de plus, il opère une *reconnaissance* : les petits papiers se changent en personnages « consistants et reconnaissables », devant
ses yeux s'étale tout un jardin japonais.

La réminiscence joue effectivement le rôle d'un
point de vue, c'est-à-dire d'un sommet d'où l'œil
domine toute une ville ; elle restaure l'essence personnelle d'un lieu telle qu'elle ne saurait apparaître
à la vision quotidienne ou au souvenir volontaire
qui n'extrait du passé que des faits privés de signification, ternes, sans charme. Ce phénomène
déclenche à la fois un rassemblement et une diversification caractéristiques : il ressuscite en détail,
tout en les organisant *dans une unité qui annonce
celle de l'art,* tous les jardins, toutes les maisons
d'une époque qui, par une sorte de glissement géologique, avaient disparu de la conscience.

Il n'est pas vain de souligner cette progression :
jardins, maisons, personnages, temps. La nature,
l'œuvre de l'homme, l'homme lui-même, la durée
enfin, ne sont pas séparés mais associés. Car si le
lieu possède une physionomie bien à lui, le personnage est relié à ce lieu par des liens secrets ;
ensuite, hommes et lieux baignent successivement
dans des couleurs temporelles différentes.

Le phénomène de la réminiscence, *ébauche* de la
métaphore — mise en contact de deux sensations
distinctes pour en faire jaillir un tiers aspect insolite — possède déjà quelque pouvoir poétique. C'est
pourquoi, sans doute, les impressions (saveurs, parfums, etc.) font apparaître plutôt des paysages,
des lieux délimités, tel Combray cerné par sa
muraille circulaire ; elles n'ont jamais la charge de

révéler des personnages dans leur ultime vérité psychologique (vérité inférieure toutefois, car elle appartient à un plan de réalité non essentielle, intermédiaire).

C'est ainsi qu'à la fin de la *Recherche,* le Héros se trouvant dans la cour de l'hôtel de Guermantes, une nouvelle épiphanie restaure devant son regard ébloui le panorama de Venise, dont les images, jadis desséchées et minces comme des fleurs japonaises repliées, s'ouvrent soudain et se prolongent, telle une perspective à la Canaletto, dans tous les sens et toutes les directions. Le phénomène « raccorde » la place à l'église, l'embarcadère à la place, le canal à l'embarcadère. Il approfondit, en les composant, des images planes ; il crée une troisième dimension, comme le stéréoscope, jouet favori du Héros. Combray, Balbec, Doncières, Venise sont ainsi bâties et rebâties, ici et là, au cours de la recherche d'une vérité plus ample d'ailleurs que celle des lieux. Toutefois, ces instants exceptionnels se produisent trop rarement pour fournir au Narrateur le moyen de récupérer la totalité de son passé. S'ils font de lui, par éclairs, un visionnaire, s'ils lui proposent à titre de signe une énigme à déchiffrer, le Narrateur n'arrivera à la vision définitive qu'après nombre de tentatives sans lendemain. A la recherche d'une certaine perspective, d'une hauteur d'où il posséderait du regard la terre promise, le Héros parfois « brûle », parfois s'égare. En fait, il n'est pas un souvenir, réveillé par le parfum d'un feu de bois ou par une odeur de moisi, qui ne soit reflet, allusion estompée à la réminiscence bienheureuse. Et parmi ces jalons, ces indices, il n'en est pas de plus significatifs que certaines descriptions symboliques, chargées de nous inviter à deviner un secret à demi voilé.

(Le Narrateur prétend dans *Le Temps retrouvé* que de l'époque de Combray jusqu'à l'illumination finale, il n'a pas progressé [1]. En réalité, lors de l'audition du Septuor de Vinteuil, il bénéficie déjà d'une illumination presque complète, il frôle le but. Les allusions sont parfois si claires, les préparations à l'apocalypse future si savantes, qu'elles risquent d'amortir l'effet final de surprise provoqué par la découverte de l'énigme. Proust s'est d'ailleurs rendu compte du danger de l'explication didactique. Il avoue parfois dans ses corrections le souci de l'éviter. Par exemple, au cours de l'épisode consacré à la description de la vie en commun de Marcel et d'Albertine, celle-ci joue au piano un morceau de Vinteuil. Marcel déclare : « Ainsi rien ne ressemblait plus qu'une belle phrase de Vinteuil à ce plaisir particulier que j'avais éprouvé quelquefois dans ma vie, par exemple devant les clochers de Martinville... ou, au début de cet ouvrage, en buvant une certaine tasse de thé [2]. » Or, le manuscrit donne un béquet marginal ainsi rédigé : « Dire peut-être ici, à la place, que je me demande quel genre de réalité intellectuelle symbolise une belle phrase de Vinteuil — *elle en symbolise sûrement une pour me donner cette impression de profondeur et de vérité* — et laisser à la fin du livre que cette réalité c'était ce genre de pensées comme la tasse de thé en éveillait [3]. »)

1. III, p. 878.
2. *La Prisonnière,* III, p. 375.
3. III, p. 1091, Notes et Variantes.

En regard de ces textes, plaçons maintenant trois autres moins souvent étudiés, mais qui symbolisent une réalité analogue. Il ne s'agira plus d'une épiphanie ouvrant un point de vue sur une ville et ses jardins, mais, à l'inverse, d'un Jardin, celui de la Raspelière, qui offre des vues célèbres. Le Narrateur le compare à un *abrégé* de toutes les promenades que l'on peut faire alentour, car il épargne le déplacement. D'abord, à cause de sa position dominante, il permet au spectateur de parcourir du regard à la fois la vallée d'un côté et la mer de l'autre. (De même, le clocher de l'église de Combray surplombe les deux côtés de Swann et de Guermantes.) Ensuite, du côté de la mer,

> « ... des percées avaient été faites au milieu des arbres de telle façon que d'ici on embrassait tel horizon, de là tel autre. Il y avait à chacun de ces points de vue un banc ; on venait s'asseoir tour à tour sur celui d'où on découvrait Balbec, ou Parville, ou Douville. Même, dans une seule direction, avait été placé un banc plus ou moins à pic sur la falaise, plus ou moins en retrait. De ces derniers, on avait un premier plan de verdure et un horizon qui semblait déjà le plus vaste possible, mais qui s'agrandissait infiniment si, continuant par un petit sentier, on allait jusqu'à un banc suivant *d'où l'on embrassait tout le cirque de la mer*[1]. »

Certains bancs placés à diverses altitudes, orientés dans une même direction, proposent des vues diverses ; mais un seul permet un tour d'horizon

1. II, p. 999.

complet. Cet observatoire privilégié non seulement domine tout le cirque de la mer, offrant, dirait-on, une perspective sphérique de diorama (vues peintes sur des toiles placées elles-mêmes sur les murs d'une rotonde et que l'on soumet à des jeux d'éclairage), mais lui seul permet d'entendre aussi le bruit des vagues, créant un double sentiment de distance. Des autres bancs, on ne contemple qu'un secteur circulaire, on découvre soit Balbec soit Parville, soit Douville soit Rivebelle. Ces lieux de repos réunissent autour du château les plus belles vues de pays, de plages et de forêts « aperçus fort diminués par l'éloignement, *comme Hadrien avait assemblé dans sa villa des réductions des monuments les plus célèbres des diverses contrées.* »

Cette allusion à la villa d'Hadrien nous rappelle qu'une des allégories possibles de l'œuvre romanesque, telle que la conçoit Proust, est celle d'une exposition de tableaux, ou d'un diptyque, d'un retable, d'un musée. Le Jardin de la Raspelière tient le rôle, lui aussi, d'un abrégé, récapitulant des vues en perspective. Il domine à la fois la dimension horizontale (largeur) et la hauteur d'où monte le bruit des vagues [1]. Pour comprendre la

---

1. Pour Schelling, le passé grec, le présent chrétien et l'avenir soutiennent entre eux des relations analogues à celles qui lient la musique, la peinture et la sculpture. L'histoire est figurée par les métamorphoses de l'espace. Schelling a été, jusqu'à la fin de sa vie, préoccupé par la hiérarchie des dimensions. Pour lui, la musique n'a qu'une dimension, la peinture en symbolise deux (longueur, largeur). Cf. l'article de J.-Fr. Marquet, *Schelling et les métamorphoses de l'Histoire*, « Critique », janvier 1965 : « Si l'antiquité est rythmique, si le christianisme est pictural, l'avenir devra être sculptural — la sculpture étant précisément cette œuvre qui a son espace en soi... »

raison de l'importance accordée à ce détail apparemment fortuit, nous devons nous reporter à un
passage de *Sodome et Gomorrhe* qui précède de
peu la description du Jardin de la Raspelière.
Marcel, en compagnie de la princesse Sherbatoff,
fait une promenade sur une route de la corniche
normande et s'arrête au bord d'un précipice :

> « De l'octroi, la voiture s'étant arrêtée pour
> un instant *à une telle hauteur au-dessus de la
> mer que, comme d'un sommet,* la vue du
> gouffre bleuâtre donnait presque le vertige,
> j'ouvris le carreau ; le bruit distinctement
> perçu de chaque flot qui se brisait avait, dans
> sa douceur et sa netteté, quelque chose de
> sublime. N'était-il pas comme *un indice de
> mensuration* qui, renversant nos impressions
> habituelles, nous montre que les distances ver-
> ticales peuvent être assimilées aux distances
> horizontales, au contraire de la représentation
> que notre esprit s'en fait l'habitude ; et que,
> rapprochant ainsi de nous le ciel, *elles ne sont
> pas grandes ;* qu'elles sont même moins
> grandes pour un bruit qui les franchit, comme
> faisait celui de ces petits flots, *car le milieu
> qu'il a à traverser est plus pur ?* Et, en effet,
> si on reculait seulement de deux mètres en
> arrière de l'octroi, on ne distinguait plus ce
> bruit de vagues auquel deux cents mètres de
> falaise n'avaient pas enlevé sa délicate, minu-
> tieuse et douce précision [1]. »

A l'audition de ce bruit, le Narrateur nous
déclare que « *son exaltation était à son comble et
soulevait tout ce qui l'entourait* ». Cet enthousiasme

1. II, p. 898.

se justifie, car Marcel est en train d'éprouver un de ces moments d'extase dont le paradigme est fourni par l'expérience fameuse de la madeleine. Le milieu pur est l'image de la durée, laquelle est à la fois rendue sensible et supprimée par le phénomène de la réminiscence.

Le bruit des flots est, là-bas, dans la profondeur, mais il est aussi tout près, perçu distinctement, dans toute sa douceur et sa netteté. Cette expérience symbolise la seconde phase de la vision. Et c'est un troisième épisode qui va nous fournir l'exemple de la troisième phase, expérience où la distance se contracte aussi, et, de plus, provoque un trompe-l'œil. Au cours d'une promenade à Versailles en compagnie d'Albertine, le Narrateur admire le bleu du ciel, sa pureté et sa profondeur (*altitudo* en latin, rappelons-le, signifie également profondeur et altitude). Soudain, il entend un bruit qu'il n'identifie pas au premier abord et qui ressemble au bourdonnement d'une guêpe. Et Albertine s'exclame : « Tiens, il y a un aéroplane, il est très haut, très haut ! » Il poursuit :

> « J'entendais pourtant toujours le bourdonnement des ailes qui tout à coup entrèrent dans le champ de ma vision. Là-haut, de minuscules ailes brunes et brillantes fronçaient le bleu uni du ciel inaltérable. J'avais pu enfin attacher le bourdonnement à sa cause, à ce petit insecte qui trépidait là-haut sans doute à bien deux mille mètres de hauteur ; *je le voyais bruire*. Peut-être, quand les distances sur terre n'étaient pas encore abrégées depuis longtemps par la vitesse comme elles le sont aujourd'hui, le sifflet d'un train passant à

deux kilomètres était-il pourvu de cette beauté qui maintenant, pour quelque temps encore, nous émeut dans le bourdonnement d'un aéroplane à deux mille mètres, à l'idée que les distances parcourues dans ce voyage vertical sont les mêmes que sur le sol et que, dans cette autre direction, où les mesures nous paraissent hautes parce que l'abord nous en semblait inaccessible, un aéroplane à deux mille mètres n'est pas plus loin qu'un train à deux kilo- mètres, et plus près même, le trajet identique s'effectuant *dans un milieu plus pur,* sans séparation entre le voyageur et son point de départ [1]... »

Le bruit de l'aéroplane crée une illusion dont l'analogue se retrouve dans l'effet que provoque *la perspective accélérée,* véritable machination optique propre à la réminiscence. (J'emprunte cette excellente expression à Jurgis Baltrusaitis [2].) Pour obtenir en effet des espaces artificiels, pour abolir la faible profondeur de la scène, les grands archi- tectes du xvie siècle, se souvenant des bas et hauts- reliefs de Donatello où l'artiste comprime la profondeur réelle dans celle, très faible, de la sculpture, rapprochent le point de fuite, relèvent le sol, et inclinent les côtés du décor vers le centre, plaçant généralement *le point de vue privilégié dans la loge du prince.* Proust inverse simplement leur procédé, car il se propose de diminuer la gran- deur de la distance réelle au lieu d'en donner l'illu- sion dans un espace restreint.

Perspective accélérée qui soutient une certaine

1. III, p. 407.
2. *Anamorphoses ou perspectives curieuses,* Paris, O. Perrin, 1955.

analogie avec la réminiscence. A l'instar de celle-ci, elle est produite par une sensation commune à deux lieux et à deux moments réels et fictifs ; elle ébauche une métaphore. De plus, le dernier texte ajoute aux deux autres morceaux précédents la troisième dimension, laquelle doit créer l'espace romanesque, véritable trompe-l'œil.

D'une façon encore voilée, Proust nous suggère l'importance du point de vue ultime et l'effet de rapprochement qu'il doit engendrer. L'observatoire idéal doit supprimer les distances en balayant un vaste horizon, en ramassant d'un coup d'œil des vues séparées, en bâtissant un espace limpide, miroitant et monotone, et que traversent, sans rencontrer de résistance physique, les bruits abyssaux de la mer ou du ciel.

Ainsi ces descriptions, en apparence variations marginales sur le thème du paysage et de la distance, préfigurent la composition proustienne aussi nettement, et peut-être mieux, que les épiphanies, car l'expérience qu'elles nous transmettent est renouvelable à volonté. Les prémonitions de la vérité ne sont pas l'apanage des fulgurations imprévisibles de la mémoire involontaire ; elles peuvent être le fruit d'une découverte optique, d'une interprétation des rêves, d'une élucidation des apparences, des signes (cf. les clochers de Martinville), d'une étude des œuvres d'Elstir et de Vinteuil et même d'un effort de l'intelligence psychologique.

Le Jardin de la Raspelière suggère de nombreuses promenades, propose de multiples vues. N'oublions point cependant qu'il est la propriété des Verdurin. Ceux-ci y organisent de grandes réceptions. Et tout salon, comme les autres lieux clos (hôtels, maisons closes, casernes, théâtres, restaurants), permet au romancier de passer en revue un monde social, lequel au premier abord apparaît fragmenté en côtés, en milieux, en castes fermées rigoureusement hiérarchisées selon des normes fixes.

Le caractère particulier de ce lieu d'estivage (la Raspelière) provoque même d'étranges variations d'optique sociale. Le romancier note, avec un humour sensible à la relativité des valeurs mondaines, que certains noms de peu d'attrait à Paris, sonnaient autrement sur la falaise : « ... des seigneurs qui sont *de second plan* dans une soirée parisienne prenaient toute leur valeur, le lundi après-midi à la Raspelière [1] ». Et nous voyons par contre Charlus, invité des Verdurin, incapable d'user des moyens d'intimidation qui lui assurent, dans les salons aristocratiques du faubourg Saint-Germain, les préséances indiscutées d'un vieux lion couronné.

Ces métamorphoses, parallèles, sur un autre registre, aux transformations des paysages, des sentiments et des personnes, sont ici légèrement esquissées. Nous allons voir pourtant que les changements de plan, de position, d'importance qui donnent, dans la parade sociale ou amoureuse, une première impression d'incohérence au Héros, peuvent par la suite être ordonnés, sériés en fonc-

1. II, p. 1000.

tion d'un point de vue mieux centré, d'une accommodation meilleure.

Au cours de la dernière scène du *Temps retrouvé,* lors de la matinée chez la princesse de Guermantes (ex-madame Verdurin), une grosse dame salue Marcel. Il ne la reconnaît pas aussitôt, cherche à lire sur son visage le nom qu'il ne trouve pas (effort inverse de celui qu'il accomplit dans la chapelle de Gilbert-le-Mauvais, au début du Roman : il n'arrive pas à placer le nom de la duchesse de Guermantes sur un visage). Il croit d'abord être en présence de madame Swann, quand la grosse dame lui dit : « Vous me preniez pour maman, en effet je commence à lui ressembler beaucoup [1]. »

La dernière phase du roman est ainsi jalonnée de ces *reconnaissances* dont les auteurs de boulevard ont su faire bon usage dans leurs comédies. Au début de cette phase ultime, le Narrateur esquisse d'ailleurs un retour à Gilberte et à Combray. (A Venise déjà, à cause d'une erreur de lecture d'un télégramme, il a confondu les noms d'Albertine et de Gilberte.) Il va ensuite lui rendre visite à Tansonville, accomplissant une sorte de pèlerinage aux lieux sacrés de sa patrie sentimentale. Désormais, Gilberte n'est plus pour lui qu'une amie et l'épouse de son ami Robert de Saint-Loup. (La passion de tête, très brève, que Marcel a éprouvée pour la tante de Robert, — la duchesse de Guermantes — présente la même évolution ou plutôt involution : il devient un ami du couple.) Or, phénomène étrange, si Gilberte ressemble, par l'héré-

1. III, p. 980.

dité, à sa mère (Odette), si c'est à Rachel, qui fut
la grande passion de son ami Robert, qu'elle s'efforce volontairement de s'identifier, pour le Narrateur, c'est d'Albertine qu'elle se rapproche incons-
ciemment. Et ce rapprochement n'est pas seulement
un effet d'optique (comme le laisserait soupçonner
la fausse lecture dont je viens de parler), le résul-
tat d'une analogie subjective. Gilberte, veuve maintenant, est devenue, nous dit-on, l'amie inséparable
d'Andrée qui, elle-même, fut longtemps la com-
pagne d'Albertine. Le Narrateur est convaincu [1] :

> « que *les images que nous voyons assemblées
> quelque part sont généralement le reflet,* ou
> d'une façon quelconque l'effet, *d'un premier
> groupement assez différent quoique symé-
> trique, d'autres images* extrêmement éloigné
> du second. Je pensais que si on voyait tous les
> soirs ensemble Andrée, son mari et Gilberte,
> c'était peut-être parce que, tant d'années aupa-
> ravant, on avait pu voir le futur mari d'An-
> drée vivant avec Rachel, puis la quittant pour
> Andrée. Il est probable que Gilberte alors,
> dans le monde trop distant, trop élevé, où
> elle vivait, n'en avait rien su. Mais elle avait
> dû l'apprendre plus tard, quand Andrée avait
> monté et qu'elle-même avait descendu assez
> pour qu'elles pussent s'apercevoir. Alors avait
> dû exercer sur elle un grand prestige la femme
> pour laquelle Rachel avait été quittée par
> l'homme, pourtant séduisant sans doute,
> qu'elle avait préféré à Robert. »

Une sorte de chassé-croisé s'est opéré secrètement : Gilberte s'est rapprochée d'Andrée à cause

1. III, p. 983.

de Rachel, et le Narrateur revient à Gilberte à cause d'Albertine. Marcel a lui-même vieilli, il s'est dépris de la passion ; mais il se livre pourtant toujours à la chasse aux filles en fleurs. Il demande à Gilberte, avec un certain cynisme ou une certaine naïveté, comme on voudra, de l'inviter avec de très jeunes filles. Gilberte sourit et a « l'air de chercher sérieusement dans sa tête ». Puis elle lui déclare hardiment : « Si vous le permettez, je vais aller chercher ma fille pour vous la présenter. » Scène équivoque, riche en sous-entendus, et qui fait aussitôt rêver le Narrateur. Sans l'avoir vue encore, et selon sa manière bien à lui de tirer une jouissance spéciale des multiples facettes irisées du probable, Marcel imagine mademoiselle de Saint-Loup et se complaît à voir en elle, grâce à l'idée du Temps, le *lieu géométrique* de plusieurs figures du passé. Et tout soudain (cinquante pages plus loin dans le texte et toujours lors de la même Matinée dans ce récit), il voit Gilberte s'avancer et lui présenter mademoiselle de Saint-Loup, une jeune et grande personne de seize ans, qui possède des yeux perçants d'oiseau et le nez aquilin des Guermantes. *D'une certaine façon, mademoiselle de Saint-Loup est le personnage central du Roman.* Il semble que Proust ait envisagé un moment de clore son livre par son mariage avec le Narrateur. (On nous dit d'ailleurs que malgré son nom et sa fortune, la fille de Gilberte épousera un homme de lettres obscur, réduisant à rien l' « œuvre ascendante » de Swann et d'Odette.) Et sa haute taille, tel un altimètre, mesure la distance temporelle que jusqu'ici Marcel a refusé de voir :

« Je la trouvais belle : pleine encore d'espérance, riante, *formée des années mêmes que
j'avais perdues, elle ressemblait à ma jeunesse* [1]. »

Le temps incolore et insaisissable vient s'incarner,
afin de se rendre pleinement visible, dans une jeune
fille, *véritable déesse du Temps*. Car mademoiselle
de Saint-Loup unit pour ainsi dire dans sa chair,
et non pas seulement juridiquement, formellement,
par contrat (comme sa mère : une Swann qui
épouse un Guermantes), les deux côtés primitifs de
Combray ; elle se place entre sa grand-mère, la
Dame en blanc de Tansonville, et la tante de son
père, la Dame en mauve de Guermantes, deux
autres divinités féminines du Roman, révérées
fugitivement par le Narrateur. Formée des années
qu'a perdues Marcel, elle est aussi un emblème de
son œuvre future. Le Narrateur la compare également à une « étoile » de carrefour en forêt [2], d'où
beaucoup de routes rayonnent et, *telles les vues de
la Raspelière,* opèrent des « percées » dans les
directions les plus diverses. La comparaison de
l'étoile avec le jardin normand n'est nullement
arbitraire de notre part. En effet, filant sa métaphore, le Narrateur énumère longuement tous les
personnages et tous les lieux sur lesquels les routes
imaginaires (qu'il voit reliées entre elles par des
chemins de traverse comme les fils d'une toile
d'araignée) ouvrent des échappées : les « deux
grands côtés » d'abord, associés à ses grands-
parents, Charles et Odette, et à Robert de Saint-
Loup, neveu de la duchesse de Guermantes. Une

1. III, p. 1032.
2. On pense aux « étoiles » de la forêt de Fontainebleau.

transversale relie d'ailleurs ces deux routes : le chemin de Balbec, ville où le Narrateur a rencontré Robert pour la première fois et que Swann lui avait vantée. Toutes ces routes fuyant à travers les échappées de la forêt offrent, à la fin, des vues de toute la vie mondaine du Héros :

> « Et même toute ma vie mondaine, soit à Paris dans le salon des Swann ou des Guermantes, soit tout à l'opposé chez les Verdurin, *et faisant ainsi s'aligner, à côté des deux côtés de Combray, des Champs-Elysées, la belle terrasse de la Raspelière.* D'ailleurs, quels êtres avons-nous connus qui, pour raconter notre amitié avec eux, ne nous obligent *à les placer successivement dans tous les sites les plus différents de notre vie* [1] *?* »

Ce n'est pas par hasard que le nom de mademoiselle de Saint-Loup, incarnation du Temps et centre de l'œuvre, *personnage-étoile,* est associé étroitement aux deux côtés de Combray, et surtout au Jardin de la Raspelière. La jeune fille est en effet l'emblème de tous les points de vue qui partent d'elle ou y aboutissent, elle est *le point de vue* par excellence. Finalement ces voies, routes nationales ou secondaires, établissent des rapports multiples entre les êtres et les lieux : « Entre le moindre point de vue de notre passé et tous les autres un riche réseau de souvenirs ne laisse *que le choix des communications* », écrit Proust.

La facilité des communications permet l'établissement du tableau généalogique dont j'ai parlé. Toutefois, Proust tend à dépasser cette première

1. III, p. 1030.

phase où les êtres sont placés les uns à côté des autres. Autour de mademoiselle de Saint-Loup et du Narrateur étaient des tableaux de cet Elstir, nous dira-t-il, « qui m'avait présenté à Albertine. *Et pour mieux fondre tous mes passés,* madame Verdurin tout comme Gilberte avait épousé un Guermantes. » Précisément, dans une lettre à la comtesse de Noailles, Proust déclare que le génie est seul capable de créer une œuvre où les choses « viennent se ranger les unes à côté des autres dans une espèce d'ordre ». Plus loin, il ajoute que ces choses sont pénétrées « de la même lumière, *vues les unes dans les autres,* sans un seul mot qui reste dehors ». Ces deux attributs du génie correspondent en fait aux deux premières sortes de vision que je viens de distinguer.

Le Jardin de la Raspelière, au même titre que la petite-fille d'Odette et de Charles Swann (fille de Gilberte et de Robert de Saint-Loup, et petite-nièce de madame de Guermantes), constitue, avec l'église de Combray, l'allégorie la plus achevée de l'Œuvre et un abrégé utile de ce perspectivisme proustien dont nous essayons de définir l'originalité, — comme la villa d'Hadrien l'était des monuments de l'Antiquité. Emblème à double signification, il illustre les divers stades de la vision proustienne, les deux plans sur lesquels d'abord elle se déploie. Cependant, l'église Saint-Hilaire exprimera mieux encore la vision stéréoscopique (dernière étape qui doit donner, semble-t-il, toute satisfaction au psychologue et combler le poète).

Avant d'examiner le riche symbolisme de cette
église, résumons encore les diverses significations
de l'épisode du *Temps retrouvé*.

Ecrite sur plusieurs portées qui se correspondent,
la *Recherche* s'exerce aussi sur le registre psychologique. L'analyse psychologique explore elle-
même deux domaines, celui de la société et celui de
la passion amoureuse, résumés par mademoiselle
de Saint-Loup. Dans l'épisode de la reconnaissance de Gilberte et de la présentation de sa fille,
rien n'a été laissé au hasard. Si, par exemple, Gilberte y joue un rôle d'intermédiaire, ce n'est pas
seulement que ce rôle appartienne au répertoire de
l'épouse bourgeoise et mondaine ; le romancier a
un sens aigu, social et philosophique, de la néces-
sité des médiateurs, lesquels peuvent nous ouvrir
des mondes inexplorés.

C'est ainsi que le Narrateur rêve à Combray de se
promener avec la duchesse de Guermantes, laquelle
lui apprendrait le nom des fleurs rouges et vio-
lettes qui poussaient dans son parc, le ferait parler
de ses œuvres futures [1]. Les femmes qu'il aime,
il les imagine lui faisant visiter les lieux qu'il
désire connaître ; elles doivent lui ouvrir « l'accès
d'un monde inconnu ». C'est ainsi encore que Bloch
va lui révéler que le désir sexuel n'est pas subjectif, qu'il est partagé par les femmes, ce qui bou-
leverse la conception du monde de Marcel [2]. Bloch
l'introduit dans une maison de passe où il va rencontrer Rachel, et, grâce à un malentendu d'ail-

1. I, p. 172.
2. I, p. 575.

leurs, chez les Swann [1]. Par l'entremise de madame de Villeparisis, amie de sa grand-mère, le Narrateur fait connaissance de Saint-Loup qui le présentera à la duchesse de Guermantes. Initiateur également, Elstir, qui à la fois lui révèle les secrets de la peinture et de l'éthique de l'artiste et lui présente Albertine ; initiatrice ou institutrice, la Berma. Face à ces guides, il y a Charlus qui se pose en mentor équivoque, mais dans un but très défini, et enfin Norpois et Legrandin, qui, égoïstement ou malicieusement, se dérobent sans cesse et refusent leur office.

Le retour à Gilberte, première passion du Héros, annonce de plus la fin du périple sentimental, lequel se termine précisément avec la découverte de mademoiselle de Saint-Loup. Celle-ci synthétise les ressemblances que le Héros recherchait parmi les femmes successivement aimées. Par deux fois Marcel retrouvant Gilberte par hasard ne la *reconnaît* pas ; les erreurs qu'il commet à son propos sont significatives, elles indiquent qu'il n'a pas pris encore pleinement conscience du sens de l'odyssée amoureuse. Au Bois, puis devant l'entrée de sa propre maison, il rencontre et prend en filature une jeune femme rousse. Celle-ci lui lance un regard qui lui rappelle quelque chose. (Le Narrateur ne nous dit pas que ce coup d'œil furtif répète celui de Gilberte dans le jardin de Combray, au début du roman.) Marcel, dans une journée de folle agitation, va tenter de s'enquérir de son nom, que par deux fois il reconstituera faussement (mademoiselle d'Eporcheville, de l'Orgeville pour de For-

1. I, p. 502.

cheville). Le surlendemain, il s'avise de sa présence une troisième fois, chez la duchesse de Guermantes [1].

1. Cf. *La Fugitive,* III, pp. 561-573. Cet épisode contient d'ailleurs d'autres répétitions chargées de sens. Au matin du jour qu'il a consacré à ses investigations policières, Marcel ouvre *le Figaro* et découvre qu'un plagiaire a repris le titre de son article sur les trois clochers de Martinville. Erreur vite rectifiée : il s'agit bien de sa prose qui enfin avait paru. Or, les trois clochers, dans la description citée à la page 182 du premier volume, sont comparés aux trois jeunes filles « d'une légende, abandonnées dans une solitude où tombait déjà l'obscurité ». Au Bois, lors de sa promenade solitaire — elle a lieu, nous dit-il, un beau dimanche de Toussaint, donc le jour consacré au souvenir des morts, Marcel pense d'abord à Albertine, dont il retrouve l'image multipliée dans de jeunes promeneuses. En effet, l'inclination pour Albertine s'était progressivement cristallisée à mesure que la jeune fille s'approchait du premier plan, reléguant ses compagnes dans le groupe indistinct dont elle faisait jadis partie et dont elle pouvait désormais *résumer la vie* (III, p. 561). La première étape de la décristallisation (n'oublions pas que l'aimée est déjà morte) reflète un mouvement parallèle mais inverse : « ... l'étoile finissante de mon amour en lequel les jeunes filles s'étaient condensées », nous dit Marcel, se disperse à nouveau dans une poussière de nébuleuses. Ce changement de perspective prépare l'incident de la rencontre des trois jeunes filles, dont l'une est Gilberte non reconnue. Ce groupe est parallèle à celui des trois clochers, tous deux s'enfonçant dans l'obscurité de l'oubli irrémédiable. En fait, les trois amies d'abord perdues au Bois, à cause d'un embarras de voitures, seront retrouvées quelques jours plus tard (III, p. 562), comme le secret des clochers sera finalement élucidé. La « retrouvaille » des trois clochers, au centre de l'épisode, correspond à celle d'Albertine dont l'image se défait, à celle de Gilberte dont l'image se précise : exemple des relations complexes qui mettent en parallèle les incidents les plus minimes à l'intérieur d'un tableau. Notons encore que la scène de la méprise (Gilberte confondue avec mademoiselle de l'Orgeville, jeune fille de l'aristocratie qui fréquente les maisons de passe selon Saint-Loup) répercute à distance l'incident du raidillon de Tansonville, à Combray : échange des regards, extatiques

Elle lui présente mademoiselle de Forcheville. Si le visage de celle-ci ne lui est pas inconnu, son nom lui demeure étranger, comme un dernier déguisement. Après la mort de Swann, apprend-il, Odette avait épousé son ancien amant, le rival de Swann, le vulgaire Forcheville. C'est alors que Gilberte lui apparaît comme l'illustration vivante de son expérience amoureuse, car elle ressemble à Odette, à Albertine, à Andrée. A travers les différentes femmes aimées qu'elle résume, le Héros, comme à l'aide de rayons X, peut lire le Type qui l'a hanté, la divinité multiple qui donne la raison de ses variations sentimentales. Variations ou série progressive dont le secret, la formule, se trouve situé au-delà du domaine de l'amour, de ses mensonges et de ses incertaines, maladives répétitions, dans un monde inconnu.

Toutefois, la véritable divinité du Temps et de l'Amour, mademoiselle de Saint-Loup, résumé du résumé qu'est déjà Gilberte, nous offre encore dans son visage des ressemblances avec un autre amour du Héros, la duchesse de Guermantes [1]. Elle permet

chez le Narrateur, furtifs chez Gilberte, — échange oculaire qui rappelle celui, quasi musical, qui s'établit tout aussi sournoisement entre Charlus et Jupien lors de la fameuse scène de *Sodome et Gomorrhe*. (« Telle, toutes les deux minutes, la même question semblait intensément posée à Jupien dans l'œillade de monsieur de Charlus, comme ces phrases interrogatives de Beethoven, *répétées* indéfiniment... » Cf. II, p. 605.)

1. Dans le train qui ramène Marcel et sa mère de Venise à Paris, celle-ci lit deux lettres (cf. *La Fugitive*, III, pp. 655 à 677). L'une lui annonce le mariage de Robert de Saint-Loup et de Gilberte Swann ; l'autre celui de Léonor de Cambremer (fils du marquis de Cambremer qui habite le château de Féterne près de Balbec et de la marquise, sœur de Legrandin, jadis aimée de Swann, cf. I, p. 381) et de

à son admirateur vieillissant de déchiffrer en elle les traces d'un plus vaste passé. Elle s'avère la déesse ultime : « Chaque personne qui nous fait souffrir peut être rattachée par nous à une divinité dont elle n'est qu'un reflet *fragmentaire* [1]... » Enfin,

mademoiselle d'Oloron, nièce de Jupien, adoptée par monsieur de Charlus. La grand-mère déclare, à propos de ce dernier mariage : « C'est la récompense de la vertu. *C'est un mariage à la fin d'un roman de madame Sand.* » Inversement, Marcel pense : « C'est le prix du vice, *c'est un mariage à la fin d'un roman de Balzac.* » Cette nouvelle étonne autant la mère que la résolution du problème de la navigation aérienne ou de la *télégraphie sans fil* aurait frappé la grand-mère de Marcel.

À propos du premier mariage, le Narrateur anticipe (III, p. 668) et nous signale qu'un changement plus frappant se manifesta dans la vie sociale de Gilberte mariée, « à la fois *symétrique et différent* de celui qui s'était produit chez Swann marié ». Et il ajoute : « En tout cas, Gilberte n'était que depuis peu de temps marquise de Saint-Loup (*et bientôt après, comme on le verra, duchesse de Guermantes*)... qu'elle se mit à afficher son mépris pour ce qu'elle avait tant désiré... » Cette précieuse remarque indique que selon un plan du Roman, Gilberte devait finir en duchesse de Guermantes, comme le Narrateur devait épouser mademoiselle de Saint-Loup, comme madame Verdurin a fini dans la peau d'une princesse de Guermantes, comme Odette, d'une duchesse de Guermantes de la main gauche, comme la nièce de Jupien (qui était *la cousine d'Odette*, cf. III, p. 673) devait être adoptée par un Guermantes. Evoquant à ce propos la Muse de l'Histoire, le Héros parle de ces causeries familiales qui, s'emparant « de quelque événement, mort, fiançailles, héritage, ruine, et le glissant *sous le verre grossissant de la mémoire, lui donnent tout son relief, dissocie, recule et situe en perspective à différents points de l'espace et du temps* ce qui, pour ceux qui n'ont pas vécu, semble amalgamé *sur une même surface*... » Loin de faire ici l'éloge de la mémoire intellectuelle et volontaire, Proust affirme qu'il convient de méconnaître la Muse de l'Histoire le plus longtemps possible « si l'on veut garder quelque fraîcheur d'impressions et quelque vertu créatrice » (III, p. 675).

1. III, p. 899, en note.

elle aide le Narrateur à rectifier les erreurs de psychologie sociale qu'il a commises, et qui sont symbolisées par les erreurs de noms. Elle incarne l'évolution qui transforme les relations sociales, elle lui fait comprendre que les mondes clos comme des castes hindoues finissent par communiquer. C'est pourquoi le Narrateur a souvent recours à des métaphores tirées des moyens de communication : carrefours, chemins de traverse, réseaux ferroviaires. Notons encore que le rapprochement entre Gilberte et Andrée, dont il est fait mention dans le *Temps retrouvé,* et qui est analogue à celui qu'avait tenté le Héros, pour d'autres raisons, après la mort d'Albertine, en direction de la même jeune fille, s'explique par un effet de symétrie. A un premier groupement répond à distance dans le temps une autre scène, inverse de la première et qui l'éclaire.

III

L'ÉGLISE SAINT-HILAIRE

Le Narrateur parle à plusieurs reprises des leçons que lui donnent l'expérience de la vie, la fréquentation d'artistes tels qu'Elstir, les promenades, les voyages. La *Recherche*, histoire d'une vocation, est une sorte de « Bildungsroman », un roman d'éducation ; et le Héros apprend beaucoup par la contemplation des œuvres d'art.

Parmi celles-ci, l'église de Combray joue dans sa vie un grand rôle. Elle est décrite pour la première fois dans le second chapitre de *Combray*, vue du chemin de fer, et selon un angle particulier, c'est-à-dire par un observateur mobile [1]. Elle apparaît d'abord comme le symbole de la petite ville, elle la *résume*, nous dit-il, la représente. La description semble faite du point de vue d'une caméra qui avance lentement, tourne, s'arrête pour désigner au spectateur un détail particulièrement suggestif du monument. Combray est d'abord vu de loin, à dix lieues à la ronde, et l'église comparée à une

1. I, p. 48.

pastoure qui tient serrées autour d'elle des brebis : les maisons sont « *rassemblées* » et un reste de rempart du Moyen Age les « cernait çà et là d'*un trait aussi parfaitement circulaire* qu'une petite ville dans un tableau de primitif ». Puis nous pénétrons dans la ville elle-même : « à l'habiter, Combray... » ; nous parcourons les rues, nous nous arrêtons enfin rue Saint-Jacques où était la maison de tante Léonie, laquelle, personnage neurasthénique, après la mort de son mari, nous dit-on, n'a plus voulu quitter « d'abord Combray, puis à Combray sa maison, puis sa chambre, puis son lit... ». La caméra, après avoir parcouru plusieurs cercles concentriques, s'immobilise alors dans la chambre de tante Léonie, chambre saturée de tant de parfums divers rappelant tous les produits de la campagne environnante, qu'elle apparaît elle-même comme un *abrégé* de la vie provinciale.

Un peu plus loin, et selon le même procédé de film documentaire, la description de l'église sera reprise d'une façon plus fouillée. On nous présente d'abord le porche, dévié et creusé aux angles par le temps ; puis les pierres tombales, les vitraux, les deux tapisseries de haute lice. Pour notre œil l'explorant ensuite travée par travée, chapelle par chapelle, l'église occupe *un espace à quatre dimensions*. Résumé de divers styles, elle nous fait franchir en perspective accélérée, *dans l'espace de quelques mètres, de longues périodes successives,* elle tient lieu d'abrégé de l'histoire de France, — des temps mérovingiens à Saint Louis. Comme mademoiselle de Saint-Loup, elle incarne la durée et simultanément la domine, allégorie de l'œuvre proustienne, de l'espace-temps romanesque. Puis, à nouveau, la caméra recule vers l'horizon d'où elle est partie, et se braque sur le clocher :

> « On reconnaissait le clocher de Saint-Hilaire *de bien plus loin,* inscrivant sa figure inoubliable à l'horizon où Combray n'apparaissait pas encore ; quand du train qui, la semaine de Pâques, nous amenait de Paris, mon père l'apercevait *qui filait tour à tour* sur tous les sillons du ciel, faisant courir en tous sens son petit coq de fer, il nous disait : « Allons, prenez les couvertures, on est arrivé [1]. »

Dans la phrase suivante, le Narrateur évoque les grandes promenades faites aux alentours :

> « Et dans une des plus grandes promenades que nous faisions de Combray, *il y avait un endroit où la route resserrée débouchait tout à coup sur un immense plateau* fermé à l'horizon par des forêts déchiquetées que dépassait seule la fine pointe du clocher de Saint-Hilaire, mais si mince, si rose, qu'elle semblait seulement rayée sur le ciel par un ongle qui aurait voulu donner à ce paysage, à ce tableau rien que de nature, cette petite marque d'art, cette unique indication humaine. *Quand on se rapprochait* et qu'on pouvait apercevoir le reste de la tour carrée et à demi détruite qui, moins haute, subsistait à côté de lui, on était frappé surtout du ton rougeâtre et sombre des pierres [2]. »

La caméra, se rapprochant à nouveau, nous mène

1. I, p. 63.
2. I, p. 63.

sur la grand-place où la grand-mère du Narrateur
avait l'habitude de contempler le clocher, lequel
résume lui-même le résumé qu'est l'église, — doigt
de Dieu levé vers le ciel, ligne verticale parmi les
lignes horizontales, point de rassemblement, repère
pour s'orienter dans le labyrinthe des rues ou dans
le lacis des routes vicinales, geste qui montre le
ciel à tous les horizons :

> « C'était le clocher de Saint-Hilaire qui
> donnait à toutes les occupations, *à toutes les
> heures, à tous les points de vue* de la ville, *leur
> figure,* leur couronnement, leur consécra-
> tion. »

Comme le personnage-étoile qu'est mademoiselle
de Saint-Loup, comme le banc-observatoire privilégié du Jardin de la Raspelière, le clocher est *le
point de vue des points de vue,* c'est toujours à lui,
dira Proust plus loin, qu'il fallait revenir, « c'est
toujours lui qui dominait tout ». De la place, la
caméra retourne à la chambre du Narrateur : « De
ma chambre, je ne pouvais apercevoir que sa base
qui avait été recouverte d'ardoises. » Pourtant ces
ardoises qui flamboient dans le soleil d'été lui
disent exactement l'heure matinale. Puis l'appareil
revient sur la place : à midi, le dimanche, à l'heure
de la brioche achetée chez Théodore, le clocher
apparaît doré et cuit comme une grande brioche ;
plus tard, au moment où l'enfant va devoir quitter
sa mère et ne plus la voir, il « a l'air posé et enfoncé
comme un coussin de velours brun sur le ciel pâli »,
comme s'il allait lui-même entrer dans le silence et
le sommeil. Enfin, la caméra se glisse derrière
l'église :

« Même dans les courses qu'on avait à faire
derrière l'église, là où on ne la voyait pas, *tout
semblait ordonné par rapport au clocher surgi
ici ou là* entre les maisons, peut-être plus
émouvant encore quand il apparaissait ainsi
sans l'église [1]. »

Ensuite, après une page où sont évoqués des clochers de Normandie, des dômes de Paris et de
Rome, le Narrateur se met à énumérer tous les
autres lieux d'où le clocher peut présenter des
aspects insolites : d'un point situé à quelques maisons de celle de tante Léonie, de chez madame
Sazerat, de la gare, des bords de la Vivonne, selon
une perspective cavalière ou curviligne à la
Foucquet :

« *Qu'on le vît à cinq heures,* quand on allait
chercher les lettres à la poste, à quelques maisons de soi, à gauche, surélevant brusquement
d'une cime isolée la ligne de faîte des toits ;
que, si au contraire on voulait entrer deman-
der des nouvelles de madame Sazerat, *on
suivît des yeux* cette ligne redevenue basse
après la descente de son autre versant en
sachant qu'il faudrait tourner à la deuxième
rue après le clocher ; *soit qu'encore,* poussant
plus loin, si on allait à la gare, *on le vît obliquement,* montrant de profil des arêtes et des
surfaces nouvelles *comme un solide surpris à
un moment inconnu de sa révolution ; ou que,*
des bords de la Vivonne, l'abside, musculeu-
sement ramassée et remontée par la perspective, *semblât jaillir* de l'effort que le clocher
faisait pour lancer sa flèche au cœur du ciel ;
c'était toujours à lui qu'il fallait revenir, tou-

1. I, p. 65.

jours lui qui dominait tout, sommant les maisons d'un pinacle inattendu, levé devant moi
comme le doigt de Dieu dont le corps eût
été caché dans la foule des humains sans que
je les confondisse pour cela avec elle [1]. »

Lors d'une visite à tante Léonie, le curé de
Combray fait allusion non aux points de vue que
l'on peut prendre *sur* le clocher, mais aux perspectives plongeantes fort curieuses qui s'offrent *du
haut* du clocher lui-même :

> « Il faut avouer du reste qu'on jouit de là
> d'un coup d'œil féerique (...). Surtout on
> embrasse à la fois des choses qu'on ne peut
> voir habituellement *que l'une sans l'autre* [2]. »

Une phrase du curé annonce d'ailleurs la communication finale entre les divers côtés séparés :
« du clocher de Saint-Hilaire, c'est tout un *réseau*
où la localité est prise ». Les choses qu'on ne peut
pas voir simultanément d'en bas sont le cours de
la Vivonne, les fossés de Saint-Assise de Combray
(à cause d'un rideau d'arbres), les canaux de Jouy-
le-Vicomte. Et le prêtre remarque : « Chaque fois
que je suis allé à Jouy-le-Vicomte, j'ai bien vu un
bout du canal, puis *quand j'avais tourné une rue,*
j'en voyais un autre, mais alors je ne voyais plus le
précédent. » Et il ajoute : « J'avais beau *les mettre
ensemble par la pensée,* cela ne me faisait pas
grand effet. » Ces bouts de canaux disposés

1. I, p. 66.
2. I, p. 106.

ensemble ne font pas grand effet, parce que justement manque ce *point de vue*, privilège d'un artiste
comme Elstir. (Le Narrateur souligne que le curé
n'a pas de sens artistique.) Le prêtre, promeneur
mobile dans le labyrinthe des rues de Jouy, est
semblable au Narrateur se réveillant dans le train
qui le mène pour son premier séjour à Balbec, au
lever du soleil. On le voit courir d'une fenêtre à
l'autre pour ressaisir des vues qui lui échappent,
car le train tourne à plusieurs reprises et ce qui
était à droite se présente alors à gauche. Il court
pour essayer d'obtenir « une vue totale et un tableau
continu [1] ». Pour bien voir, conclut le curé, il faudrait être à la fois dans le clocher de Saint-Hilaire
et à Jouy-le-Vicomte, c'est-à-dire se trouver à deux
observatoires à la fois. (Allusion au thème du
« point de vue supérieur » qui permettra au Narrateur, comme à Elstir, de dominer toutes choses.)
Le clocher vertical confère à l'église sa signification spirituelle en même temps qu'une physionomie
presque humaine, il est par définition un *haut lieu*.
C'était dans son clocher, dit le Narrateur, que
l'église « semblait prendre conscience d'elle-même,
affirmer une existence individuelle et respon-
sable ». A plusieurs reprises, il répète qu'il « parle »
pour elle. Et ce n'est point un hasard, si le souvenir
de la grand-mère du Héros, qui incarne pour lui la
bonté, la spiritualité, la noblesse d'âme, l'amour
pur, à plus d'une reprise s'associe à celle du clocher. La grand-mère s'unit à l'effusion de sa flèche,
son regard semble s'élancer avec elle, dans une
sorte de familiarité avec l'altitude. Le texte que j'ai

1. I, p. 655.

cité au chapitre précédent (épisode de la promenade à Versailles et de l'avion bourdonnant) est
précédé en effet d'un rappel significatif. Regardant
le bleu radieux du ciel, le Narrateur pense à sa
grand-mère « qui aimait dans l'art humain, dans
la nature, *la grandeur,* et qui se plaisait à regarder
monter dans ce même bleu le clocher de Saint-
Hilaire [1] ». Et dans un autre passage [2] du *Temps
retrouvé,* le Narrateur discute la valeur de la litté-
rature de notations ; ces notations, remarque-t-il,
demeurent sans signification, si on ne dégage pas,
sous les *petites choses,* la réalité qui s'y dérobe.
Proust signale, comme exemple, des impressions
qui semblent disparates, et qui, si on y regarde bien,
symbolisent la profondeur, selon l'anamorphose de
diverses perspectives accélérées. Ces « petites
choses », il les signale comme en passant, entre
parenthèses : « (la grandeur dans le bruit lointain
d'un aéroplane, dans la ligne du clocher de Saint-
Hilaire, le passé dans la saveur d'une madeleine) ».
Le mot de *grandeur* implique ici un triple sens,
celui de lointain, d'altitude, de profondeur du
passé ; on doit y ajouter un quatrième sens, celui
d'élévation morale, attribut qu'il est nécessaire au
Romancier d'acquérir pour embrasser tous les
aspects de l'expérience humaine, mais qui appartient par essence à la grand-mère et au clocher. Le
Narrateur reconnaît cependant que ce n'est pas la
beauté intrinsèque de l'église de Combray qui la
rend si précieuse pour lui, mais le fait qu'elle se
rattache à « toute une partie profonde de sa vie »,

1. III, p. 406.
2. III, pp. 894-895.

à sa patrie foncière. En effet, il évoque l'inoubliable flèche gothique d'un clocher normand, le
dôme de Saint-Augustin de Paris, « ... on voit *après
un premier, un second et même un troisième plan*
faits des toits amoncelés de plusieurs rues, une
cloche violette... qui donne à cette vue de Paris le
caractère de certaines vues de Rome par Piranesi ».
Le paysage dans la *Recherche* est, signalons-le en
passant, très souvent dessiné d'une fenêtre ou d'un
carreau. (Le cadre, à partir de la Renaissance,
devient une porte qui donne sur l'imaginaire, et
celui des fresques italiennes forme lui-même un
élément d'architecture peinte : colonnes, linteaux
ou arcades.) Très souvent aussi, les « vues » sont
décrites comme des gravures, ou des photographies ; le dôme de Saint-Augustin, par exemple,
apparaît comme : « ... une cloche violette, parfois
rougeâtre, parfois aussi, *dans les plus nobles
« épreuves* » qu'en tire l'atmosphère, d'un noir
décanté de cendre... ». Or le sens de la vue est le
plus intellectuel de tous ; l'idée platonicienne, la
perspective euclidienne nous présentent les aspects
des choses tenues comme à distance, — idée, étymologiquement, signifiant *aspect visible.* Le sens
visuel transforme les choses et les êtres en spectacle, tandis que le son et le parfum nous font
pénétrer intimement dans la réalité. Les petites
gravures bidimensionnelles que la mémoire du
Héros « exécute », sont loin de lui restituer son
passé dans sa plénitude et son intensité. Aucun de
ces *clichés* n'est dessiné et peint avec le sentiment
(*perdu depuis longtemps,* nous dit le Narrateur)
« qui nous fait non pas considérer une chose *comme
un spectacle,* mais y croire comme *un être sans*

équivalent[1] ... ». La possibilité même de l'objectivation implique un désintéressement qui est une
perte de présence. L'église de Combray, elle n'est
jamais considérée avec l'œil du dilettante : placée
au croisement de trois ruelles, son abside peut
paraître dénuée de beauté artistique, d'élan religieux. Mais quand le Narrateur revoit une abside
similaire, il déclare :

> « Alors je ne me suis pas demandé comme à
> Chartres ou à Reims avec quelle puissance y
> était exprimé le sentiment religieux, mais je
> me suis involontairement écrié : « L'Eglise ! »

L'église familière, mitoyenne, simple citoyenne de
Combray, est pourtant séparée par un liséré invisible, par un abîme, des autres maisons qui l'entourent : *elle est sacrée,* non à cause d'une beauté
infuse, mais parce que la mémoire du Héros la
sacre. Toute proche, elle crée et indique le lointain ; encastrée dans la ville rassemblée autour
d'elle, elle demeure elle-même en familiarité avec
le haut.

Dessinée dans sa complexité de structure et la
variété de ses aspects extérieurs et intérieurs,
l'église Saint-Hilaire fait partie de l' « immense
édifice du souvenir » ressuscité par l'épisode de la
madeleine. Elle surgit au sein d'une vision qui
résume le paysage moral et le décor des premières
années de la vie du Héros. Elle apparaît donc
comme un double raccourci, celui du temps histo-
rique à partir de l'époque mérovingienne, celui de
l'enfance de Marcel. Et ce n'est point par hasard

1. I, p. 66.

que la section de *Du côté de chez Swann* consacrée
à la réédification de Combray débute par l'évocation de l'église aperçue de loin, du train qui s'approche. Le premier récit de voyage de la *Recherche*
est consacré à sa découverte.

Dans la première section de *Combray,* seul le
drame du coucher à sept heures du soir est relaté, il
s'accompagne d'une esquisse des protagonistes.
Cependant, nous apprenons déjà que la grand-
mère de Marcel achetait de préférence pour son
petit-fils des livres capables d'exercer sur l'esprit
une bonne influence, de lui donner « la nostalgie
d'impossibles voyages dans le temps [1] ». Elle place
dans sa chambre des photographies de monuments
ou de beaux paysages. Pour donner plus d'*épaisseur* à ces reproductions, elle choisit non pas une
photographie de la cathédrale de Chartres, mais de
la peinture de Corot représentant la cathédrale. La
seconde section de *Combray* (réplique approfondie
de la première) nous familiarise avec Saint-Hilaire,
livre d'histoire unique.

A l'intérieur, espace historié, romane et gothique,
l'église exhibe des vitraux qui représentent les
mêmes personnages que les clichés de la lanterne
magique, autre jouet optique favori du Narrateur
— clichés comparés, un peu plus haut, à des
vitraux vacillants et momentanés. Les tapisseries de
haute lice nous présentent Assuérus et Esther (dans
La Prisonnière, le Héros identifiera plus d'une fois
son comportement amoureux à celui du roi persan).
Et conformément à la volonté de rapprochement
qui gouverne l'imagination proustienne, si le vitrail

1. I, p. 41.

est comparé à une douce tapisserie de verre, inversement, les couleurs de la tapisserie, à certains endroits plus fraîches qu'à d'autres, semblent celles d'un vitrail illuminé par un rayon de soleil.

Sa matière même symbolise les particularités de la durée romanesque proustienne. C'est ainsi que les pierres tombales des abbés de Combray tendent par l'effet de l'âge à retourner du stade minéral à l'état liquide, elles s'écoulent comme du miel. Certaines de leurs inscriptions, telles les *contractions* et les *distensions* d'un récit romanesque qui tient compte des intermittences de la mémoire, parfois s'étalent, parfois déjà elliptiques à cause des abréviations latines, se resserrent encore plus.

La description des aspects extérieurs de l'église, selon le jeu d'une perspective mouvante, amorce à la fois l'analyse plus fouillée des apparitions des clochers de Martinville et le récit de la découverte, marquée par plusieurs changements de points de vue esthétiques, de l'église de Balbec et enfin l'évocation du campanile de Saint-Marc de Venise. Chacun de ces monuments est chargé d'expliciter certains signes, en fonction des points de vue choisis par une description mobile, cette description étant un voyage qu'on peut comparer à une métaphore, c'est-à-dire étymologiquement à un *transport*[1], — ici d'une apparence vers une autre apparence.

Proust veut nous faire sentir l'essence d'un monument qui contient inscrite dans sa pierre l'histoire d'un lieu et d'une enfance. Ce monument, telle une coupe géologique, concentre en lui plusieurs espaces, et incarne ainsi le temps. Enfin le clocher,

---

1. En grec moderne, une maison de déménagements est une « entreprise de métaphores ».

résumant l'essentiel de l'église, symbolise la vision de l'art, laquelle concentre les variations du temps dans une vivante éternité, au cœur de laquelle sensations et impressions reviennent sans cesse selon la loi de l'éternel retour.

Les promenades autour de Saint-Hilaire provoquent d'autres métaphores, c'est-à-dire associent un aspect connu de l'église à un profil inattendu ; elles sont destinées à nous faire comprendre la raison des apparences. Proust insiste sur le fait qu'une série même bien ordonnée de profils divers ne suffirait pas à dégager l'essence d'une personne ou d'un monument. Un pur spectacle, même diversifié à l'infini, ne peut nous faire sentir l'unicité sans équivalent d'un être. L'essence sentie réclame pour se manifester (entre deux dérobades) parfois l'effort de la mémoire, mais surtout le travail de l'imagination, le mouvement du cœur qui guide l'intelligence. Cette essence peut se manifester parfois subitement, et alors Marcel s'écrie : « L'église ! ». Il n'a pas besoin de se livrer à des comparaisons, à des réflexions. Toutefois, les promenades l'assurent de l'authenticité de son intuition. Des jeux de perspective déplient en quelque sorte l'essence, font miroiter des vues presque contradictoires, aspects variables d'une âme unique ; ils rapatrient en somme, comme un berger ses moutons, les images les plus étranges ou les plus lointaines. (C'est ainsi que les boutons d'or des berges de la Vivonne, au nom de « princes de contes de fées français », importés depuis longtemps d'Asie, gardent un éclat d'Orient, bien « *qu'apatriés* pour toujours au village ».)

Le sens d'une chose, selon Merleau-Ponty, habite

cette chose comme l'âme habite le corps. Saint-Hilaire, réalité foncière, corps bénéfique dont l'âme rayonne, demeure, au cours de l'œuvre, un centre de référence. Il jouera également, comme les autres êtres importants, gens ou lieux, un rôle allégorique : ici celui d'une partie qui symbolise le tout, c'est-à-dire l'Œuvre, comme dans la théorie des ensembles une partie peut équivaloir au tout.

IV

APPARITIONS ET SIGNES

Thème privilégié de Proust, le voyage nous rappelle la définition de Stendhal : un roman est un miroir promené sur la grand-route. Dans une interview, l'écrivain déclare déjà à Elie-Joseph Bois (*Le Temps,* novembre 1913) :

> « Comme une ville qui, pendant que le train suit sa voie *contournée,* nous apparaît tantôt à notre droite, tantôt à notre gauche, *les divers aspects qu'un même personnage* aura pris aux yeux d'un autre, au point qu'il aura été comme des personnages successifs et différents, *donneront* — mais par cela seulement — *la sensation du temps écoulé.* Tels personnages se révéleront plus tard différents de ce qu'on les croira, ainsi qu'il arrive bien souvent dans la vie du reste. »

Ce texte décrit excellemment la démarche proustienne. Celle-ci préfigure déjà les pérégrinations infinies, les errances des personnages du « nouveau roman ». Il faut retenir cependant une formule particulièrement typique : la sensation du temps écoulé, exclusivement produite par des apparitions successives et discontinues. Les aspects divers évoqués doivent d'ailleurs, à la fin, *donner corps* et profondeur temporelle au personnage et, par-là, nous dévoiler peut-être son essence, l'âme qui l'habite.

Cette démarche impliquant des déplacements sinueux, producteurs des chassés-croisés de la perspective, est, plus qu'une méthode, une conception originale. Instruments à métaphores, elle doit permettre divers genres de visions (juxtaposition, superposition, mise en relief), lesquels réclament, plutôt qu'une pure agilité de l'esprit, un mouvement de déplacement physique.

Les apparitions que nous étudions ici ont toutes trait à des lieux, des villes et surtout des églises. (Le décor extérieur a dans le roman proustien une importance qui le distingue de l'habituel roman d'analyse.) L'apparition des clochers de Martinville, de l'église de Balbec, de Saint-Marc de Venise est préfigurée déjà dans celle de Saint-Hilaire. L'individualité de cette église étreint Marcel avec « une puissance presque fantastique ». Il n'en est pas moins vrai que la description des autres monuments apporte au Héros des lumières nouvelles.

Combray, dans son ensemble, nous est présenté selon divers points de vue. Une promenade nocturne au clair de lune, que le Narrateur fait en compagnie de ses parents, en révèle un aspect insolite. Le père de Marcel est le seul qui connaisse le chemin *circulaire* qui mène par le viaduc et le calvaire ; il est le guide qui sait s'orienter, privilège des grandes personnes. Et sa mère, qui ne possède pas ce sens, nous dit-on, admire le « génie stratégique » de son mari. (Génie stratégique qui sera celui de l'auteur de la *Recherche,* lequel dominera *toutes* les voies de communication de son Œuvre !) Tout à coup, le père demande : « Où sommes-nous ? » Et alors :

> « ... comme s'il l'avait sortie de la poche de son veston, avec sa clef, il nous montrait debout devant nous *la petite porte de derrière qui était venue avec le coin de la rue du Saint-Esprit nous attendre au bout de ces chemins inconnus.* Ma mère lui disait : « Tu es extraordinaire [1] ! »

Scène qui annonce ce qu'opérera plus tard la réminiscence ou les autres moyens de télécommunication du Romancier : à la fois une reconnaissance et une reconstruction complète d'un décor architectural. Le décor inconnu où tous les éléments connus viennent se disposer soudainement comme par l'effet d'un stéréoscope mental, c'est le paysage le plus familier à l'enfant, mais contemplé d'un point de vue inusité qui le pare d'une fraîcheur magique. Et l'on pense à la phrase d'Heinrich von Kleist :

> « Le Paradis est verrouillé et l'Ange est derrière nous ; nous devons contourner le monde et voir si le Paradis n'est pas ouvert, peut-être par-derrière... Pour retourner à l'état d'innocence, nous devons manger une nouvelle fois de l'arbre de la connaissance [2]... »

1. I, pp. 114-115.
2. H. von Kleist, *Uber das Marionettentheater,* Sämtliches Werke, III, pp. 213-221.

Plus d'une fois, Proust reprendra ce thème au cours de la *Recherche*. Par exemple, au début de la soirée chez les Verdurin [1], le Narrateur entend pour la première fois le Septuor de Vinteuil. Dès l'attaque des premières mesures, il se sent perdu en pays inconnu. Or, subitement, il est favorisé d'une apparition magique comme s'il abordait l'œuvre d'un *côté nouveau*.

L'épisode fameux des clochers de Martinville a déjà été examiné par plusieurs commentateurs. Les détours multiples de la route où le Héros circule font se mouvoir les trois clochers dont l'un d'eux, celui de Vieuxvicq, d'abord éloigné des deux autres, se rapproche subitement. Nous assistons à une sorte de ballet perspectiviste jusqu'au moment où les trois clochers s'éloignent, noyés dans l'obscurité.

Le Héros ne se contente point pourtant d'éprouver une impression rare : il sent que derrière le déplacement des lignes provoqué par les changements de points de vue, *quelque chose* pointe, *qui fait signe et se dérobe à la fois*. Les surfaces et les lignes s'ouvrent comme une écorce ; une pensée nouvelle se formule dans la tête de Marcel. (C'est ainsi que de la gare de Combray, lieu d'observation insolite, l'abside de Saint-Hilaire, aperçue obliquement, montre, de profil, des surfaces nouvelles « comme un solide surpris à un moment inconnu de sa révolution ». De même une fenêtre, donnant sur la cour de l'hôtel de Guermantes, proposera à

1. III, p. 249.

Marcel un aspect inconnu de monsieur de Charlus).

En cette circonstance, Marcel ne se contente pas de penser, il veut exprimer et approfondir son plaisir spécial. Sans plus attendre il saisit un crayon et un papier et rédige un texte malgré les cahots de la voiture. L'impression obscure qui s'éclaircit soudain lui semble « quelque chose d'analogue à une *jolie phrase* ». Impression qu'il s'agit de déchiffrer comme un hiéroglyphe [1], grâce à une lecture créatrice, très différente de la réminiscence. Pour Gilles Deleuze [2] l'*explication* coïncide avec le développement du signe *impliqué*, enveloppé en lui-même : elle nous livre son sens : « le sens se confond avec le développement du signe comme le signe se confondait avec l'enroulement du sens ». Le signe est hiéroglyphe, le sens est une jolie phrase, l'essence, l'unité du signe et du sens. « Les essences sont à la fois la chose à traduire et la traduction même, le signe et le sens. »

D'une certaine façon, si l'église de Combray symbolise la structure même de la *Recherche,* l'appel des clochers de Martinville nous fait entrevoir ce qu'est la création littéraire : explication de figures mouvantes, de signaux clignotants, de métamorphoses qui sont des métaphores. Ici il nous faut citer, encore une fois, une formule excellente de Deleuze : « La création, c'est la genèse de l'acte de pensée dans la pensée elle-même. »

---

1. Cf. I, p. 181, et III, p. 878.
2. *Marcel Proust et les signes,* P.U.F., 1964, pp. 14 et 91.

Martinville fait encore partie du monde des
archétypes de Combray. Lieu familier, il enseigne
au Narrateur que la création en appelle autant à
l'esprit de découverte qu'à la force de la mémoire.
L'église de Balbec-le-Vieux se situe au contraire
en pays exotique. Avant de l'avoir vue, Marcel
l'imagine, se fiant à l'enthousiasme de Swann,
comme un monument presque persan. Il va consul-
ter au musée du Trocadéro les reproductions de la
Vierge du porche. Lorsque, pour la première fois,
il se trouve en face de l'édifice, il éprouve un vio-
lent désappointement. Loin d'en appeler à la curiosité active du jeune amateur, l'apparition détruit le
mythe qu'avait élaboré son imagination. Loin de manifester son essence propre, l'église ne semble faire
qu'un avec la petite ville provinciale et banale.
    Le voyage entraîne ici la déception ; la réalité
refuse la couleur mythologique projetée par une
intense préparation imaginative : le même phénomène se produit d'ailleurs lors de la première rencontre de la duchesse de Guermantes, de Bergotte,
de la Berma. Le signe refuse l'interprétation ; une
mauvaise fée, comme dans un conte, a métamor-
phosé la Vierge en une petite vieille ridée. Pourtant, la signification symbolique de l'épisode n'est
pas mince. Celui-ci éveille un autre problème, qui
touche au ressort même du romanesque : l'opposition de l'imaginaire et du réel. Le Héros, à partir
de noms, d'images, de livres, bâtit, à propos des personnages qu'il souhaite connaître, de brefs romans,
des scènes mythologiques. Il se peint des sortes
d'icones que le premier choc avec le réel fait écla-
ter en morceaux. (La révélation de l'essence se

produira en général lors d'une troisième étape qui va réconcilier rêve et réalité, subjectivité et objectivité, proche et lointain.)

De plus, ce récit nous rappelle la diversité, non des points de vues spatiaux, mais esthétiques. La beauté secrète d'une œuvre d'art ne se livre ni à l'imagination associative, ni à l'érudition, ni à une évaluation rapide. La compréhension en profondeur de l'édifice suppose peut-être ces préparations, mais le moment de vérité se produit en général beaucoup plus tard, à la faveur d'une explication — ici, celle d'Elstir — et grâce à un recul nécessaire qui revivifie l'expérience.

C'est ainsi qu'à Balbec-plage, Elstir dévoilera à Marcel l'essence commune à Saint-Hilaire et à Balbec-le-Vieux. Cette dernière église, expliquera le peintre, est aussi une bible historiée, un gigantesque poème théologique dont certaines parties doivent beaucoup à l'art oriental. Marcel pourra désormais l'imaginer librement comme une église *presque persane* [1].

Lors de son premier séjour à Balbec, le Héros rayonne autour de son lieu d'estivage. Au cours d'une de ses promenades, sa voiture descend sur Hudimesnil. Et *tout à coup* Marcel ressent le même bonheur inexplicable et profond dont il fut jadis inondé devant les clochers de Martinville : trois arbres au bord du chemin forment un dessin qu'il croit *reconnaître*. S'agit-il d'un de ces souvenirs

1. I, p. 842.

de rêve qui étaient l'objectivation, dans le sommeil, de l'effort que le Narrateur accomplissait durant la veille pour projeter une sorte de mythe-image sur la réalité quotidienne ? ou d'une image toute nouvelle d'un rêve de la nuit précédente ? ou bien ne les avait-il jamais vus, et, tels les « hiéro-glyphes » (touffes d'herbe ou reflets), avaient-ils « un sens aussi obscur, aussi difficile à saisir qu'un passé lointain, de sorte que, sollicité par eux d'approfondir une pensée », nous dit Marcel, « je croyais avoir à reconnaître un souvenir [1] » ? Lui rappelaient-ils une campagne allemande [2] ? Ou bien la fatigue de sa vision lui faisait-elle voir double *dans le temps,* comme on voit double parfois *dans l'espace,* provoquant un phénomène de fausse reconnaissance ? Le Narrateur essaye vainement diverses hypothèses, comme on tente d'ouvrir une serrure successivement avec plusieurs clés. Les arbres s'approchent de lui, tels une « apparition mythique », ou des fantômes, ou des amis disparus qui se livrent à une gesticulation passionnée, dans laquelle, dit-il, « je reconnaissais le regret impuissant d'un être aimé qui a perdu l'usage de la parole [3] ».

Ici l'essai de déchiffrement du signe, de la parole, échoue totalement. Récit assez troublant qui nous rend attentifs à l'existence dans le Livre de recherches avortées, de voies sans issue, d'interrogations sans réponse. (Et dans le domaine limité de l'ana-

---

1. I, p. 185.
2. Baden-Baden, voyage qui n'est pas narré dans la *Recherche.*
3. Souvent Proust songe à l'*aphasie* qui frappa sa propre mère.

lyse psychologique, que d'hypothèses non confir-
mées, de passantes dont on perd la trace et qui ne
seront jamais identifiées !)

Enfin l'épisode d'Hudimesnil a l'avantage majeur
de nous permettre de dresser la liste des différents
moyens d'approche du lointain, des différentes
techniques de la reconnaissance : le rêve qui dispose autour du dormeur l'ordre des mondes et
engendre lui aussi, à sa manière, des métaphores
instables ; l'imagination qui projette sur les êtres
une image magnifiante qui a parfois pouvoir d'interprétation ; le souvenir amorcé par une association d'idées ; la lecture des signes, des hiéro-
glyphes et des palimpsestes.

On ne peut négliger de signaler une autre promenade (en automobile) accomplie dans la même
province normande, durant le second séjour du
Héros à Balbec. Citons d'abord le passage essentiel :

> « Non, l'automobile ne nous menait pas
> ainsi féeriquement dans une ville que nous
> voyions d'abord *dans l'ensemble que résume
> son nom,* et avec les illusions du spectateur
> dans la salle. Il nous faisait entrer dans la
> coulisse des rues, s'arrêtait à demander un
> renseignement à un habitant. Mais, comme
> compensation d'une progression si familière,
> on a les tâtonnements mêmes du chauffeur
> incertain de sa route et revenant sur ses pas,
> *les chassés-croisés de la perspective faisant
> jouer un château aux quatre coins avec une
> colline,* une église et la mer, pendant qu'on se

rapproche de lui [...], ces cercles, de plus en plus rapprochés, que décrit l'automobile autour d'une ville fascinée *qui fuyait dans tous les sens* pour échapper, et sur laquelle finalement il fonce tout droit, à pic [...] ; de sorte que cet emplacement, point unique, que l'automobile semble avoir dépouillé du mystère des trains express, il donne par contre l'impression de le découvrir, de le déterminer nous-même comme avec un compas [...] [1]. »

Ce passage se situe dans le contexte du chapitre III de *Sodome et Gomorrhe* où nous voyons Marcel explorer dans tous les sens la terre normande et où se trouve également la description des vues de la Raspelière. (Lors du premier séjour estival, le Héros se préoccupe de rassembler plutôt une variété de vues de mer.) L'automobile révèle une nouvelle façon de mesurer le monde, une nouvelle approche. Curieux d'histoire autant que de géographie, Marcel, au début de ce chapitre, s'inquiète d'abord de l'étymologie des noms de lieux, avant d'aller contempler ceux-ci sur le terrain : fidèle en cela au processus spécial de son imagination. Il insiste aussi sur la relativité du sens de la distance, laquelle n'est que le rapport variable de l'espace au temps. Il différencie nettement les voyages en chemin de fer et ceux en automobile.

Les premiers créent magiquement des métaphores en rapprochant deux villes, entités originales séparées par une grande distance neutre. L'automobile, prosaïquement, rabat certains lieux, loin-

---

1. II, pp. 1005-1006. « *Automobile* est encore donné comme nom masculin dans le *Nouveau Larousse* paru vers 1905. » Note de P. Clarac.

tains et mystérieux, sur un plan unique. C'est ainsi qu'un raccourci permet à la voiture d'atteindre rapidement Beaumont, devant lequel Marcel avait passé tant de fois en chemin de fer sans le voir et *qu'il reconnaît subitement.*

Texte curieux où le mouvement en spirales semblable à celui d'un oiseau de proie, exprime la démarche du psychologue, où les chassés-croisés de la perspective symbolisent les tâtonnements de cette démarche. Texte qui est une allégorie de la progression prosaïque de l'analyse, les voyages en chemin de fer représentant au contraire le pouvoir métaphorique de l'imagination ou du souvenir.

Proust, peintre de personnages, emploie de même deux méthodes distinctes. La première consiste à rapprocher les clichés ou images instantanées séparées par une grande distance temporelle. (Le disparate des « photographies » confère au profil du personnage des traits d'autant plus saillants.) La seconde consiste à ordonner les faits psychologiques d'après des lois générales ; elle rabat elle aussi tous les comportements variés d'un être sur un seul plan. Elle fait peu de cas des individualités. Les personnages ne seront plus alors que les porte-parole d'une loi ; ils rentreront dans une grande région sociale, comme Beaumont, dépouillée de son aura « prend place dans la région ». Ainsi à une méthode poétique (assimilable au voyage en chemin de fer) s'oppose une méthode prosaïque, et en quelque sorte statistique et sérielle. Cette dernière méthode ne peut s'appliquer d'ailleurs qu'à la région sans originalité où règnent les lois de l'oubli, de la décadence, du mensonge et de la mystification.

Toutefois on ne peut clore cette recension sans
parler du voyage de Marcel à Venise où il retrouve
les impressions d'un Combray maritime [1] (la ville
italienne jouant le rôle de synthèse de Combray et
de Balbec) et où, surtout, le campanile de Saint-
Marc fait flamboyer à ses yeux éblouis son *Ange
d'or.* Le campanile, en effet, *résume* tous les autres
clochers et révèle définitivement l'énigme de leurs
messages respectifs. Les bras grands ouverts, l'Ange
proclame *vers midi* « une promesse de joie plus
certaine que celle qu'il put être jadis chargé d'an-
noncer aux hommes de bonne volonté [2] ». Il pro-
fesse une foi nouvelle qui pourtant conserve au
moins un dogme de l'ancienne, la promesse d'un
retour ou d'un grand Midi, d'un âge nouveau *où le
temps se retrouve ou se rachète,* où ce qui était
caché est mis à jour et manifesté. Déjà dans *la
Prisonnière,* le Héros évoque par trois fois les robes
de Fortuny, un couturier vénitien. Il parle d'abord
des toilettes, l'une portée par madame de Guermantes, l'autre par Albertine, qui n'étaient qu'une
renaissance des vêtements magnifiques des contemporains de Carpaccio et de Titien, peintres auxquels Fortuny avait su habilement emprunter couleurs, motifs et formes. Et il parle d'une sorte de
retour, les étoffes anciennes « *renaissant de leurs
cendres,* somptueuses, car TOUT DOIT REVENIR,
comme il est écrit aux voûtes de Saint-Marc et

1. Proust consacre plusieurs pages à comparer Combray
et Venise (III, pp. 623-627).
2. III, p. 623.

comme le proclament, buvant aux urnes de marbre
et de jaspe des chapiteaux byzantins, les oiseaux
qui signifient à la fois mort et résurrection [1] ».

Vingt-cinq pages plus loin, il reparlera d'une
robe de Fortuny :

> « Elle était envahie d'ornementation arabe
> comme Venise, comme les palais de Venise...,
> comme les reliures de la bibliothèque Ambro-
> sienne, comme les colonnes desquelles les
> oiseaux orientaux qui signifient alternative-
> ment la mort et la vie, *se répétaient* dans le
> miroitement de l'étoffe [2]... »

Un rappel identique se lit un peu plus loin dans le
même livre [3]. Le fin mot du temps que les phénix et
l'Ange d'or proclament, c'est celui de l'éternel
retour, de la *répétition* de l'improbable, vérité soup-
çonnée tout au long du Roman et qui n'éclate
qu'aux dernières pages de la *Recherche*. Mais entre
l'épisode de la promenade du côté de Martinville
et celui du voyage à Venise, s'étend tout l'espace
de l'œuvre, où les chemins, grandes routes ou raccourcis, demeurent longtemps les voies de l'er-
rance, des chassés-croisés et de l'erreur. Seules les
toiles du peintre Elstir, maître des jeux de la perspective, la Sonate et le Septuor de Vinteuil, suggé-
reront ici et là au Narrateur « la formule éternellement vraie, à jamais féconde », car seul l'art
s'avère capable à la fois de répétition et de renou-
vellement véritables.

1. III. p. 369.
2. III, p. 395.
3. III, p. 400.

V

LA VISION D'ELSTIR

Dans son article sur Gœthe, Proust observe :
« les arts et les moyens par lesquels on s'y perfec-
tionne, occupent beaucoup les romans de Gœthe [1] ».
Et il cite l'art des jardins, l'art de l'acteur, de l'ar-
chitecte, du musicien. Chez Proust lui-même, la
peinture joue un grand rôle, et, parmi les person-
nages-artistes de la *Recherche*, Elstir est chargé
d'une tâche importante. Il exerce d'abord la fonction de guide spirituel du Héros-Narrateur. Maître
de sagesse, il apprend à celui-ci que l'on ne devient
un sage authentique qu'après avoir passé par toutes
« les incarnations ridicules ou odieuses qui doivent
précéder la dernière », qui est le stade suprême de
la métamorphose, celui de l'équilibre et de la domination de soi et du monde. « On ne reçoit pas la
sagesse, il faut la découvrir soi-même après un
trajet que personne ne peut [...] vous épargner, car
elle est *un point de vue* sur les choses. » La sagesse,
comme la peinture, comme l'art du romancier,

---

1. *Contre Sainte-Beuve,* p. 404.

implique le choix d'un point de vue ; elle est un voyage.

La première visite de Marcel à Elstir, dans la deuxième partie des *Jeunes Filles en fleurs,* marque un des grands moments de ce livre, pour diverses raisons. Elle offre d'abord l'occasion à Proust de peindre une sorte de tableau de genre, une « étude d'atelier », atelier au milieu duquel l'artiste, possédé par le démon de la création, se déchaîne comme un alchimiste dans son laboratoire. Cette description conduit naturellement à une analyse de l'art d'Elstir. Celui-ci n'ouvre d'ailleurs pas seulement à Marcel une fenêtre sur les secrets de la peinture impressionniste, il va jeter aussi un pont entre Marcel et Albertine Simonet et présider bientôt à leur présentation (à l'inverse, c'est sous les auspices de Gilberte Swann que le Narrateur entre en contact avec l'écrivain Bergotte). Il va lui révéler une madame Swann inconnue sous les espèces de miss Sacripant 1872, lui avouer que le « monsieur Biche » des Verdurin, c'était lui ; lui expliquer enfin pourquoi l'église de Balbec, malgré la déception que Marcel a éprouvée à son premier abord, était bien un chef-d'œuvre de style « presque persan ». Parmi les guides que Marcel se choisit, Elstir est sans doute celui qui a exercé sur lui l'influence la plus heureuse, qui lui a ouvert les plus vastes perspectives dans les domaines les plus différents ; enfin, il est l'un des seuls à lui faire comprendre l'*essence* des mirages et des illusions.

Si l'on y prend garde, l'épisode qu'on peut intituler *La visite chez Elstir* ou *Une peinture d'atelier* consiste, presque entièrement, en jeux de miroirs. D'abord, il y a les réverbérations qu'Elstir étudie avec prédilection dans ses marines, les reflets, les « éclipses [1] » provoquées par la perspective. Le clair-obscur de l'atelier du peintre est comparé à un bloc de cristal de roche « dont une face déjà taillée et polie, çà et là, *luit comme un miroir et s'irise* [2] ». A un certain tournant du récit, Elstir et le Narrateur se penchent à une fenêtre qui donne sur un chemin. Tout à coup y apparaît une jeune cycliste au polo noir (Albertine), laquelle adresse à Elstir un sourire d'amie. Le Narrateur compare ce sourire à *un arc-en-ciel qui unit* notre monde terraqué à des régions, marines ou célestes, qu'il avait crues jusque-là *inaccessibles.* Puis le Narrateur, que le peintre renseigne sur le nom et la situation de la jeune fille, s'aperçoit qu'il a été la victime d'une illusion optique concernant sa situation sociale. Il avait *situé* Albertine dans un milieu interlope, alors qu'elle appartenait à cette classe (qui l'intéresse peu, parce qu'il la connaît trop) : celle de la riche bourgeoisie. Heureusement pour lui, Albertine a été revêtue d'un prestige préalable, d'un rayonnement qui lui a été conféré, « devant (ses) yeux *éblouis, par la vacuité éclatante* de la vie de plage ». Le choc qu'a provoqué chez Marcel le surgissement radieux de la jeune fille, déprécie par contraste le charme de la présence d'Elstir. Celui-ci, tout à coup, ne représente plus pour lui — il le dit assez cyniquement ou naïvement — qu'un « intermédiaire nécessaire ». Il tente d'entraîner le peintre vers la plage, mais celui-ci veut d'abord achever une aquarelle. C'est alors que, furetant (avec la liberté qu'on peut éprouver plus

1. I, p. 840.
2. I, p. 835.

souvent auprès d'un génie qu'auprès d'un homme ordinaire), Marcel déniche le portrait de miss Sacripant : une jeune femme, habillée en homme, propose à son ébahissement un corps et un visage de sexe ambigu. Cette ambiguïté, ce miroitement — réplique psychologique de l'ambiguïté, qui règne, nous le verrons plus loin, dans le tableau intitulé *Le Port de Carquethuit* — nous rappelle une étrange apparition, relatée dans le même livre, un peu plus haut, de la fille d'Odette : image indécise d'une Gilberte perverse et cruelle (dont le double masculin est déjà présent dans le vitrail de Saint-Hilaire sous la figure de Gilbert le Mauvais), d'une Gilberte que le Narrateur a vue un soir, sans la reconnaître, s'éloigner dans l'ombre élyséenne, accompagnée d'un homme (qui se révélera plus loin avoir été Léa déguisée [1]). Reconduisant plus tard Elstir chez lui, après une brève promenade du côté de la plage, le Narrateur essaie de lui arracher des informations concernant miss Sacripant. Elstir, réticent, se dérobe ; Marcel tente alors, par la bande, d'obtenir l'aveu qu'il s'agit bien de madame Swann avant son mariage. Mais le silence d'Elstir est parlant. Cette première découverte étonnante mène Marcel à une seconde, tout aussi déconcertante : Elstir, c'est monsieur Biche. « Il avait fait le portrait d'Odette de Crécy. Serait-il possible que cet homme de génie, ce sage, ce solitaire, ce philosophe à la conversation magnifique et *qui dominait toutes choses,* fût le peintre ridicule et pervers adopté jadis par madame Verdurin [2] ? » Elstir ne fait pas de difficultés pour reconnaître cette chry-

1. I, p. 623.
2. I, p. 863.

salide d'un moi désormais dépassé. Mais il lit une irrépressible déception sur le visage de son hôte. Alors, en vrai maître, nous dit Marcel, au lieu de venger son amour-propre, Elstir tâche de l'instruire. Et il lui montre comment l'erreur est nécessaire à la révélation de la vérité. Il ne s'agit jamais d'abolir un passé désagréable, mais de rédimer une apparence à la fois fausse et vraie (celle de la chenille, justement). Chaque être passe par des incarnations successives :

> « Les vies que vous admirez, les attitudes que vous trouvez nobles n'ont pas été disposées par le père de famille ou par le précepteur, elles ont été précédées de débuts bien différents, ayant été influencées par ce qui régnait autour d'elles de mal ou de banalité. Elles représentent un combat et une victoire. Je comprends que l'image de ce que nous avons été dans une période première *ne soit plus reconnaissable* et soit en tout cas déplaisante. Elle ne doit pas être reniée pourtant, car elle est un témoignage que nous avons vraiment vécu [1]... »

Et non seulement Elstir sauve les apparences, comme on dit, mais il les justifie aussi bien esthétiquement qu'éthiquement. De même, grâce à son admirable érudition, il effacera la déception de Marcel, éprouvée devant l'église de Balbec. La vannerie ambiguë du réel qui natte les brins de l'erreur et ceux de la vérité, de la déception et de l'extase, opère, nous le voyons, à tous les niveaux. Perspectives égarantes et reconnaissances subites

---

1. I, p. 864.

se succèdent dans une sorte de jeux de glaces à l'infini, sur le plan de la psychologie comme sur celui des toiles peintes. Proust semble s'attarder à ces jeux gratuits ; cependant, ces digressions ne sont jamais sans propos à longue portée. Selon sa technique habituelle, en effet, l'auteur prélude en musicien à un thème fondamental, par des allusions obliques comparables, si l'on veut, à la lumière latérale de Rembrandt. (Et précisément le clair-obscur que le peintre hollandais introduit dans tel cabinet où il place un philosophe méditant auprès d'un escalier en spirale rappelle la pénombre dans laquelle baigne l'atelier d'Elstir, et symbolise subtilement, comme elle, le combat entre l'ombre et la lumière, l'apparence et la vérité.)

A l'abri de son antre d'alchimiste, Elstir provoque des métamorphoses visuelles. « Si Dieu le Père avait créé les choses en les nommant, c'est en leur ôtant leur nom, ou en leur donnant un autre qu'Elstir les recréait. Les noms qui désignent les choses répondent toujours à une notion de l'intelligence, *étrangère à nos impressions véritables...* » Elstir s'efforce d'oublier *tout ce qui n'est pas simplement visible* (« CAR CE QU'ON SAIT N'EST PAS A SOI [1] », commente le romancier). L'apparence pure,

1. A propos de Monet, on trouve déjà ce passage dans *Jean Santeuil* : « A cet endroit de la toile, peindre ni ce qu'on voit puisqu'on ne voit rien, ni ce qu'on ne voit pas puisqu'on ne doit peindre que ce qu'on voit, mais peindre *qu'on ne voit pas,* ... c'est bien beau. »
Pour Michel Butor, Proust devient capable d'inventer

dégagée de la gangue abstraite qui l'isole en la nommant, a tendance alors à se joindre à une autre apparence. « Voir la nature *telle qu'elle est, poétiquement* », c'est donner naissance à une métamorphose, à une métaphore :

> « Une de ses métaphores les plus fréquentes dans les marines qu'il avait près de lui en ce moment était justement celle qui, comparant la terre à la mer, supprimait entre elles toute démarcation. C'était cette comparaison, *tacitement et inlassablement* répétée dans une même toile, qui y introduisait cette multiforme et puissante unité, cause, parfois non clairement aperçue par eux, de l'enthousiasme qu'excitait chez certains amateurs la peinture d'Elstir [1]. »

Transposant lui-même le langage de la critique littéraire dans le domaine de la critique d'art, le Narrateur déclare que dans *Le Port de Carquethuit*, Elstir emploie des « termes marins » pour peindre la petite ville, et des « termes urbains » pour

l'œuvre d'Elstir, lorsqu'il comprend que celle de Monet « dépasse l'antinomie entre ce qu'on voit et ce qu'on ne voit pas, puisque... sa formule " peindre qu'on ne voit pas " n'est pas suffisante, qu'il faut la compléter ainsi : " peindre qu'on ne voit pas ce qu'on voit ". Ceci revient à dire que cet ineffable, ce mauve est en réalité analysable, et que l'art de Monet est métaphorique. » Plus loin, Butor ajoute : « Dans les *Cathédrales,* on voit qu'on ne voit pas, mais on voit que ce qu'on ne voit pas c'est le porche. Le peintre est capable de nous *montrer notre erreur,* mais pas simplement notre erreur, notre marche vers la vérité, pas simplement notre ignorance, mais le fait que nous en sortons. » Butor souligne aussi la fréquence de l'image de la cathédrale aperçue dans la brume, de l'église dissimulée par le feuillage.

1. I, pp. 835-836.

décrire la mer. Au premier plan de la toile, celui
de la plage, le peintre

> « avait su habituer les yeux à ne pas recon-
> naître de frontière fixe, de démarcation abso-
> lue, entre la mer et l'océan [...]. La mer elle-
> même ne montait pas régulièrement, mais
> suivait les accidents de la grève, *que la pers-*
> *pective déchiquetait encore davantage,* si bien
> qu'un navire en pleine mer, à demi caché par
> les ouvrages avancés de l'arsenal, semblait
> voguer au milieu de la ville [1]. »

La mer d'Elstir ressemble tantôt à une chaussée de
pierre, tantôt à un champ de neige, tantôt à une
place bitumeuse, tandis que les églises de Criquebec, sur la même toile, entourées d'eau et vues sans
la ville, semblent (soufflées en écume et ceinturées
par un arc-en-ciel) sortir de la mer. Cette marine
est comme un creuset où s'effectuent des transmu-
tations entre la mer et le ciel, entre la mer et la
terre, où s'opèrent des chassés-croisés entre un
objet solide et son reflet. En effet, les reflets des
coques de bateaux paraissent solidifiés, tandis que
les coques elles-mêmes, vaporisées par un effet
optique (« *et que la perspective faisait s'enjamber*
les unes les autres ») semblent des reflets. La technique d'Elstir se fonde sur sa vision multiforme et
une, laquelle dissout et remodèle, puissamment,
monotonement, la réalité pour en faire jaillir, tels
des arcs-en-ciel qui relient la terre et le ciel, les
métaphores. Style et vision ne font qu'un. Proust
déclarera dans *Le Temps retrouvé* :

> « ...la vérité ne commence qu'au moment où

1. I, p. 836.

l'écrivain... en rapprochant une qualité commune à deux sensations, *dégagera leur essence
commune* en les réunissant l'une et l'autre
pour les soustraire aux contingences du temps,
dans une métaphore[1]. »

Essence sentie et fulgurante, à la fois instantanée
et supra-temporelle. Le peintre Elstir (lui-même
« résumé » de peintres impressionnistes réels :
Whistler, Turner, Manet, Monet, Renoir) fixe l'apparence d'une belle matinée orageuse, arrêtée dans
l'instant. Mais cet instant, *sacré* comme tel, échappe
à la contingence et au temps, et dégage l'essence
commune à la mer et à la terre. *La vérité se trouve
au sein même de l'apparence ambiguë.* L'effort
d'Elstir, nous explique le Narrateur,

> « de ne pas exposer les choses *telles qu'il
> savait qu'elles étaient,* mais selon *ces illusions
> optique*s dont notre vision première est faite,
> l'avait précisément amené à mettre en lumière
> *certaines de ces lois de perspectives...* »

La métaphore poétique naît d'une illusion
optique, mais elle met à jour une vérité essentielle.
Maître de la touche impressionniste, Elstir dissout
ce qui était uni, marie[2] ce qui était séparé et fait
jaillir de ce mouvement paradoxal un instant
éternel. De son enseignement, le Narrateur saura
tirer parti. Dans le train qui l'amène vers Balbec,
Marcel discute, avec sa grand-mère, les *Lettres* de

---

1. III, p. 889.
2. Cf. *Du côté de chez Swann* (I, p. 202), où Elstir n'est
encore que *M. Biche :* « ... il aimait à favoriser les liaisons.
"Rien ne m'amuse plus comme de faire des mariages...
j'en ai déjà réussi beaucoup, même entre femmes !" »

madame de Sévigné. Cette dernière, affirme-t-il, est une grande artiste, de la même famille « *qu'un peintre que j'allais rencontrer à Balbec et qui eut une influence si profonde sur ma vision des choses,* Elstir. Je me rendis compte à Balbec que c'est de la même façon que lui qu'elle nous présente les choses, dans l'ordre de nos perceptions, au lieu de les expliquer d'abord par les causes [1]. »

En fait, bien avant de rencontrer Elstir, le Narrateur nous fait pressentir qu'il n'ignore rien de la technique impressionniste. Elstir et Proust *objectivent,* tous deux à leur manière, *la préhistoire de la vision qu'ils ont conquise, ou reconquise sur l'oubli.* — Cet oubli que nous oublions en acceptant tels quels les noms des choses, c'est-à-dire leurs définitions intellectuelles, leur classement dans une hiérarchie fixe. Et si le Narrateur est attiré par Elstir, c'est qu'il attend de lui une confirmation de sa propre vision. Dès le premier matin de son arrivée au Grand-Hôtel de Balbec, le Narrateur, en se séchant les mains avec une serviette « raide et empesée » (impression à demi consciente qui réapparaîtra dans la pleine lumière de l'apocalypse du *Temps retrouvé*), est déjà tout entier à la joie de contempler la mer visible à toutes les fenêtres de sa chambre et reflétée dans toutes les vitrines de la bibliothèque. (La mer — son éclat, sa réverbération, sa couleur, son mouvement — domine et règle et illumine toute cette partie du livre, nourrit toutes

1. N'est-ce pas une excellente définition de la phénoménologie contemporaine ?

les métaphores — à la fois élément premier et toile de fond.) Et les fenêtres sont comparées tantôt à un cadre, tantôt au carreau d'une diligence, tantôt aux hublots d'un navire. Marcel note le « froncement léonin » des flots, ou leur « sourire sans visage » (image eschyléenne reprise également dans le *Cantique des Colonnes* de Valéry). La mer, comme plus tard dans la marine d'Elstir, lui semble, ici et là, tantôt un cirque montagneux, tantôt une plaine sablonneuse, tantôt une prairie alpestre. Par contre, la salle à manger de l'hôtel, séparée du monde par un « châssis clos » (qui joue également le rôle de cadre) se transforme en une piscine emplie « de soleil vert ». Bien avant de faire la connaissance d'Elstir, le Narrateur opère lui-même des métamorphoses picturales. Il note déjà que la diversité de l'éclairage déplace les vallonnements de la mer,

> « ... ne modifie pas moins l'orientation d'un lieu, ne dresse pas moins devant nous de nouveaux buts qu'il nous donne le désir d'atteindre, que ne ferait un *trajet* longuement et effectivement parcouru en voyage. Quand, le matin, le soleil venait de derrière l'hôtel, découvrant devant moi les grèves illuminées jusqu'aux premiers contreforts de la mer, il semblait m'en montrer un autre versant et m'engager à poursuivre, *sur la route tournante* de ses rayons, *un voyage immobile et varié* à travers les plus beaux sites du paysage *accidenté des heures* [1]. »

(Nous retrouvons ici l'équivalent stable de la vision

1. I, p. 673. Encore un symbole du Livre.

mobile que nous avons étudiée dans le chapitre
précédent). Plus loin, nous voyons le Narrateur,
avant de se rendre en voiture à Hudimesnil , « composer un tableau » de mer avant de l'aller chercher
sur la falaise, tableau qu'à Balbec il ne peut apercevoir que trop *morcelé*. Plus loin encore, le Narrateur, enfermé dans sa chambre, « *entouré de tous
côtés des images de la mer* », se complaît à peindre
mentalement diverses marines au soleil couchant.
Le couchant, ciel et mer, forme une sorte de tableau
religieux au-dessus d'un maître-autel. Les parties
différentes de ce tableau, reflétées dans les glaces
des bibliothèques qui courent le long des murs et
que le Narrateur *rapportait par la pensée*

> « ... à la merveilleuse peinture dont elles
> étaient détachées, semblaient comme ces
> scènes différentes que quelque maître ancien
> exécuta jadis pour une confrérie sur une
> châsse et dont on exhibe *à côté les uns des
> autres* dans une salle de musée les volets sépa-
> rés que l'imagination seule du visiteur remet à
> leur place sur les prédelles du retable [1]. »

Sans cesse le motif du *rassemblement* est rattrapé
en contrepoint, tout au long de cette deuxième partie des *Jeunes Filles en fleurs*. (Il est enfin traité
avec une ampleur définitive dans l'épisode de l'atelier.) Deux pages plus loin encore, le Narrateur
analyse l'intense plaisir qu'il éprouve à contempler
un navire qui a l'air, au crépuscule, d'être constitué de la même matière et de la même couleur que
l'horizon « *ainsi que dans une toile impressionniste* ». Par un jeu de perspective et d'éclairage, le

---

1. I, p. 803. Autre symbole de l'Œuvre.

ciel lui-même semble parfois continuer la mer ou
la mer prolonger le ciel, cependant que les images,
sous une autre lumière, dans une autre partie de
l'horizon, paraissent offrir

> « comme *la répétition,* chère à certains
> maîtres contemporains, d'un seul et même
> effet, pris toujours à des heures différentes,
> mais qui maintenant avec l'immobilité de l'art
> pouvaient tous être *vus ensemble* dans une
> même pièce, exécutés au pastel et mis sous
> verre [1]. »

Ces « tableaux », mis *ensemble,* sont pourtant
encore si divers, que le Narrateur ressent parfois
l'impression de parcourir une exposition d'es-
tampes japonaises :

> « J'aurais pu croire qu'ils n'étaient qu'un
> choix, chaque jour renouvelé, de peinture
> qu'on montrait *arbitrairement* dans l'endroit
> où je me trouvais et sans qu'elles eussent de
> rapport nécessaire avec lui. »

Au motif du *rassemblement,* s'oppose la dissocia-
tion impressionniste, symbole des intermittences du
cœur, des mutations, des métamorphoses. Le Narrateur, devant d'autres marines, d'autres soirs,
notera en effet les modulations colorées et variables qui le frappent. Il distinguera une bande de
ciel rouge (coupante comme de la gelée de viande),
une ligne rose saumon. Et ces zones contiguës, mais
distinctes, constituent un rappel de celles que l'en-

1. I, p. 805.

fant Marcel avait remarquées déjà le soir, à Combray, à ses retours de promenade, quand il était étreint par l'angoisse du coucher solitaire :

> « La zone de tristesse où je venais d'entrer était aussi distincte de la zone où je m'élançais avec joie, il y avait un moment encore, que dans certains ciels une bande rose est séparée comme par une ligne d'une bande verte ou d'une bande noire. On voit un oiseau voler dans le rose, il va en atteindre la fin, il touche presque au noir, puis il y est entré [1]. »

Ces zones symbolisent les variations psychologiques du moi et la difficulté du Narrateur à unifier aussi bien son propre être que la personnalité versatile des gens auxquels il s'attache et dont il voudrait fixer, rassembler, rentoiler les aspects déconcertants :

> « Et de la sorte c'est du côté de Guermantes que j'ai appris à distinguer ces états qui se succèdent en moi, pendant certaines périodes, et vont jusqu'à se partager chaque journée, l'un revenant chasser l'autre, avec la ponctualité de la fièvre ; contigus, mais si extérieurs l'un à l'autre, *si dépourvus de moyens de communication entre eux,* que je ne puis plus comprendre, plus même me représenter, dans l'un, ce que j'ai désiré, ou redouté, ou accompli dans l'autre [2]. »

A ces jeux visuels, identifications ou dissociations, correspondent des phénomènes optiques sur le plan

1. I, p. 183.
2. I, p. 183.

de la psychologie. La présence de la mer, en effet, suscite des illusions comparables à des mirages sociaux, à des déformations, à des réflexions, à des malentendus (le bâton droit plongé dans l'eau et qui paraît courbe !). Le Narrateur, dans la salle à manger de l'Hôtel de Balbec, dévisage avec une curiosité passionnée tous les estivants « *dans cet éclairage aveuglant* de la plage *où les proportions sociales sont changées* [1]... ». C'est ainsi que le bâtonnier de Cherbourg prend la princesse de Luxembourg pour une cocotte, que le Narrateur ne peut reconnaître en madame de Villeparisis une Guermantes, que sur la grève monsieur de Charlus apparaît à Marcel comme un fou, un acteur, un policier, ou un escroc, Robert de Saint-Loup comme un gandin plein de morgue. De même, le Narrateur prend d'abord Albertine pour une jeune garce prolétaire, puis pour une petite bourgeoise riche, ensuite pour une jeune fille sage parente de madame Bontemps, puis de nouveau, quand il l'aperçoit sur la digue, pour une gourgandine écervelée. Elle révélera plus loin la sûreté de son goût en peinture, goût formé par Elstir ; plus tard, encore, Marcel la croira facile, mais elle résistera à ses avances. Toutes ces images se suivent et même parfois se superposent, se contredisent, *sans réussir à constituer un personnage à trois dimensions.*

Ces apparences, ces erreurs sont causées non seulement par le point de vue limité de Marcel, mais par une volonté de dissimulation chez Albertine : elles ne sont donc nullement, comme une première lecture le laisserait croire, subjectives. La jeune

1. I, p. 675.

fille présente successivement plusieurs visages, tels ceux d'une divinité hindoue, et l'un n'est pas plus vrai ou faux que l'autre. La technique impressionniste d'Elstir possède donc son double sur le registre psychologique. La manière de voir et de sentir du Narrateur est fort proche de la sienne, comme se rapprochent de celle-ci la psychologie de Dostoïevsky (Marcel vantera à Albertine le sens aigu de l'amphibologie humaine qu'a le romancier russe) et la vision de madame de Sévigné (elle peint les paysages comme Dostoïevsky ses personnages). C'est ainsi que dans le train de Balbec, le Narrateur, un volume des *Lettres* à la main, admire et propose à notre admiration un passage où madame de Sévigné esquisse un clair de lune qui noie les formes du réel, transforme des arbres en fantômes, permettant toutes les hypothèses divinatrices et herméneutiques et toutes les métaphores :

> « Mais déjà cet après-midi-là, dans ce wagon, en relisant la lettre où apparaît le clair de lune : " Je ne pus résister à la tentation, je mets toutes mes coiffes et casques qui n'étaient pas nécessaires, je vais dans ce mail dont l'air est bon comme celui de ma chambre ; je trouve mille coquecigrues, des moines blancs et noirs, plusieurs religieuses grises et blanches, du linge jeté par-ci par-là, des hommes ensevelis tout droits contre des arbres, etc... ", je fus ravi par ce que j'eusse appelé un peu plus tard (ne peint-elle pas les paysages de la même façon que lui, les caractères ?) le côté Dostoïevsky des *Lettres de madame de Sévigné* [1]. »

1. I, pp. 653-654.

Sur un autre point encore, la ligne Elstir recoupe la ligne Dostoïevsky. La jeune Odette que l'artiste a peinte en *miss Sacripant,* suggère, par l'indécision de son costume, l'ambiguïté de son caractère : elle est sœur des femmes-doubles du romancier russe. Mais de plus, comme toutes les femmes de Dostoïevsky se ressemblent, tous les modèles d'Elstir renvoient à un *schème créateur,* à un Type, à une femme idéale. Le génie du peintre, creuset à température très élevée, *dissocie* l'harmonie factice qu'Odette a imposée à son visage, et opère un regroupement de traits « de manière à donner satisfaction à un certain idéal féminin et pictural qu'il porte en lui ». C'est ainsi que dans beaucoup de toiles d'Elstir, comme dans l'aquarelle qui représente *miss Sacripant,* on observe une *symétrie* entre un chapeau rond tenu à la main, à la hauteur du genou, et un autre disque, le visage vu de face. Ces symétries, que Proust a cherchées chez Tolstoï comme chez Hardy, il les retrouve dans l'œuvre imaginaire de son personnage-artiste ; il voit en elles le signe de l'unité de la vision, mystère même du génie créateur.

Or, le secret de l'originalité d'Elstir est si caché, si difficilement accessible, que Proust tente de le saisir dans une manifestation plus grossière, plus simple, la photographie. Il s'efforce de capter l'essence de cette originalité au moment où elle se dissipe, où l'imitation des photographes la met en lumière, tout en vulgarisant ses procédés. Certains photographes de paysages et de villes, séduits par

les cadrages d'Elstir, se sont efforcés, nous dit-on,
d'illustrer « *une loi de la perspective* [1] » elstiréenne.
Ils nous montrent

> « telle cathédrale que nous avons l'habitude
> de voir au milieu de la ville, prise au contraire
> *d'un point choisi* d'où elle aura l'air trente
> fois plus haute que les maisons et faisant
> éperon au bord du fleuve d'où elle est *en
> réalité* distante. »

Le secret de l'originalité du peintre, en effet, réside
dans ce point de vue si particulier qui transforme
l'apparence ou, si l'on veut, qui offre la possibilité
à l'apparence d'apparaître telle qu'elle est. Tel
tableau évoqué plus loin, nous fait penser invinci-
blement à la description du clocher de Combray et
des canaux de Jouy :

> « Un fleuve qui passe sous les ponts d'une
> ville était *pris d'un point de vue* tel qu'il appa-
> raissait entièrement *disloqué*, étalé ici en lac,
> aminci là en filet, rompu ailleurs par l'inter-
> position d'une colline couronnée de bois où le
> citadin va le soir respirer la fraîcheur du
> soir ; et le rythme même de cette ville boule-
> versée n'était assuré que par la verticale
> inflexible des clochers qui ne montaient pas,
> mais plutôt, selon le fil à plomb de la pesan-
> teur marquant la cadence comme dans une
> marche triomphale, semblaient tenir en sus-
> pens au-dessous d'eux toute la masse plus
> confuse des maisons étagées dans la brume, le
> long du fleuve écrasé et *décousu* [2]. »

1. I, p. 838.
2. I, p. 839.

Tel autre tableau nous rappelle les chemins en lacets, les falaises surplombant un précipice, les tournants de routes qui, dans les promenades du Narrateur, escamotent des pans de paysages, opèrent des *éclipses*, provoquent le choc d'une vision fraîche et nouvelle :

> « Et (comme les premières œuvres d'Elstir dataient de l'époque où on agrémentait les paysages par la présence d'un personnage) sur la falaise ou dans la montagne, le chemin, cette partie à demi humaine de la nature, subissait, comme le fleuve ou l'océan, *les éclipses de la perspective.* Et soit qu'une arête montagneuse, ou la brume d'une cascade, ou la mer empêchât de suivre la continuité de la route, *visible pour le promeneur mais non pour nous,* le petit personnage en habits démodés perdu dans ces solitudes semblait souvent arrêté devant un abîme, le sentier qu'il suivait finissant là, tandis que, trois cents mètres plus haut dans ces bois de sapins, c'est d'un œil attendri et d'un cœur rassuré que nous voyions reparaître la mince blancheur de son sable hospitalier au pas du voyageur, mais dont le versant de la montagne nous avait dérobé, *contournant* la cascade ou le golfe, les lacets *intermédiaires* [1]. »

On pourrait dire que, d'une certaine façon, la photographie d'art est au tableau d'Elstir ce que la vision d'Elstir est à la vision du romancier. L'une et l'autre, simplifiant, objectivant, vulgarisant, nous permettent d'approcher mieux le *point d'or* que nous cherchons. Il est clair, en effet, que sous

1. I, pp. 839-840.

la diversité des symboles décrits (jardins, clochers, campaniles, églises, vitraux, tableaux, photographies), qui sont tous des œuvres d'art contemplées diversement, c'est une *chose simple* que Proust veut signifier. Ainsi, derrière le fouillis de lierre qui cachait les formes de l'église de Carqueville, il y avait une architecture nette que le Narrateur était obligé de *reconnaître* par la pensée, par un effort de concentration ardu. Le simple est ce qui est le plus dissimulé, on ne peut l'approcher qu'après de nombreux détours, bien qu'il nous soit donné, non par étapes, mais tout soudain.

L'irréductibilité du point de vue du peintre reconstitue un monde autonome et clos au sein duquel les éléments échangent leur apparence : que ce soit dans un paysage de mer et de terre ou sur un ambigu visage de femme, le même jeu se reforme sans cesse. L'apparence illusoire d'où naît la métaphore picturale n'est pas, en dernière analyse, imputable à l'optique *individuelle ;* elle exprime une vérité qui cherche elle-même à se dire à travers l'individu. Cette vérité est celle de la plasticité perpétuelle du monde, que Proust retrouve aussi bien devant l'océan que devant un visage de jeune fille : « Mais l'adolescence est antérieure à la solidification complète et de là vient qu'on éprouve auprès des jeunes filles ce rafraîchissement que donne le spectacle des formes sans cesse en train de changer, de jouer en une instable opposition qui fait penser à cette perpétuelle recréation des éléments primordiaux de la nature qu'on contemple devant la mer [1]. »

Dans la vie, ces différences mobiles ont tendance à s'estomper. Sur le visage de la femme faite, les traits se durcissent et parfois même indiquent à peine le sexe. Seul l'art *mobilise et fixe* à la fois les différences qui, dans la vie ou les voyages, tendent sans cesse à s'effacer. Les paysages marins que contemple Marcel à Balbec sont l'amorce encore incertaine des marines impressionnistes d'Elstir, c'est-à-dire des succédanés de tableaux, des photographies, — le photographe imitant, dégradant une vision en technique, en points de vue extérieurs.

Dans le premier chapitre de cet ouvrage, j'ai déjà signalé les relations biunivoques entre la forme du Roman et celle de la Sonate de Vinteuil. Phénomène de réduplication : la *petite phrase,* comparée à un hymne national, résume l'amour de Swann pour Odette ; la Sonate décrit son évolution entière. Butor voit de même dans *Le Port de Carquethuit* un tableau dans un tableau: le cercle d'un arc-en-ciel multicolore qui entoure Criquebec, et qui est comparable à la ceinture qui cerne le Paradis dans les peintures du Moyen Age. Butor remarque : « A travers (les œuvres d'Elstir et de Vinteuil) Proust prend peu à peu conscience du développement de son propre travail... Elles sont des modes

1. I, p. 906. Cette métaphore fait comprendre l'association mer-Albertine.

de sa réflexion créatrice. » Il voit encore une progression : musique, peinture, langage.

Notons dans le même essai (*Les Œuvres d'art
imaginaires chez Proust*), deux découvertes importantes : le paysage de Carqueville et son église
toute cachée sous son vieux lierre constituent une
première esquisse, une amorce du *Port de Carquethuit ;* de plus, l'épisode des trois arbres d'Hudimesnil (reflété dans celui du train arrêté en pleine
campagne, cf. III, 854), qui suit immédiatement la
visite à l'église dans les feuilles, est lié à celui-ci par
un lien secret. Le bonheur ressenti devant les trois
arbres, analogue à celui éprouvé devant les clochers de Martinville, demeure encore incomplet :
« C'est l'expérience fondamentale des trois arbres
qui va dédoubler l'église de Carqueville dans le
tableau d'Elstir, dédoubler aussi son nom en Carquethuit et Criquebec. » En effet, à la fin de *Sodome
et Gomorrhe,* l'universitaire Brichot, corrige les
erreurs du curé de Combray, lequel fait venir *thuit*
de *toft* = masure (Carquethuit serait la « vieille
église », *crique* et *carque* = kirk = église) alors
que ce mot s'avère une modification de *thveit,*
essart, défrichement (Carquethuit = l'église débroussaillée). Criquebec, enfermée avec ses églises
dans sa ceinture prismatique, fait le pont entre
Carquethuit et Balbec (Baalbek = le temple du
Soleil). Butor met de plus en évidence l'importance des Noms, de leurs relations et étymologies. Ce n'est pas un hasard si, dans la première
phase de sa carrière, Elstir s'appelle monsieur
Biche ou monsieur Tiche et si son vrai nom
est l'anagramme de Whistler (le *wh* étant supprimé).

Butor remarque encore qu'Elstir est une sorte de Monet poussé à la limite. Chez Monet, la métaphore est *en épaisseur,* les rochers sont comme de la laine, mais il n'y a pas de laine qui ressemble à du rocher.

Jean Rousset (*Les Livres de chevet des personnages de Proust* [1]) signale un autre phénomène de *mise en abîme.* Tel livre reflète tel épisode ou révèle certains traits cachés du tempérament du personnage-lecteur : ainsi la passion de madame de Sévigné pour sa fille, dont les *Lettres* sont lues à la fois par la grand-mère de Marcel, par sa mère, par Charlus et par le héros lui-même. Charlus plaide : « Ce que ressentait madame de Sévigné pour sa fille peut prétendre beaucoup plus justement ressembler à la passion que Racine a dépeinte dans *Andromaque* ou dans *Phèdre,* que les banales relations que le jeune Sévigné avait avec ses maîtresses... Les démarcations trop étroites que nous traçons autour de l'amour viennent seulement de notre grande ignorance de la vie. »

Charlus encore fait allusion aux *Secrets de la princesse de Cadignan,* à laquelle il s'identifie secrètement, identification « rendue facile... grâce à la transposition mentale qui lui devenait habituelle et dont il avait déjà donné divers exemples ». Il y a double transposition, de Charles (Swann) en Charlus, dans le Roman de Proust, et de Charlus en la Princesse à travers Balzac. (Swann, *cygne,* peut signifier aussi *signe,* puisqu'il est le prototype du héros.)

A Tansonville, Gilberte, fille aux cheveux d'or

1. Cf. *Forme et signification.*

et qui fut l'amie de Léa, lit *La Fille aux yeux d'or,* récit d'une passion aberrante.

François le Champi, livre qui joue un rôle important au début et à la fin du Roman, conte l'histoire d'un enfant trouvé, de caractère aimant et sensible. Une jeune meunière lui tient lieu de mère. Il éprouvera pour elle un attachement passionné et finira par l'épouser.

VI

LA MUSIQUE DE VINTEUIL
ET L'ART DE BERGOTTE

Proust est très préoccupé par l'œuvre de Wagner, comme, avant lui, le furent Baudelaire et Mallarmé, comme l'ont été ses contemporains, Claudel et Valéry. La tentative de Wagner a représenté en effet pour toute la génération symboliste l'équivalent de ce qu'elle a cherché à faire sur le registre poétique : une synthèse de tous les arts. Et la musique de Vinteuil, dont le message importera autant au Narrateur dans sa recherche de la vérité que la peinture d'Elstir, *résume* certains caractères de la musique de Wagner (on y retrouve le *leitmotiv* cher à l'auteur des *Nibelungen*), mais aussi des traits de style de Fauré et de Franck (la composition cyclique), de Saint-Saëns (les cinq notes du motif de la *Sonate pour piano et violon* [1]). Toute-

1. Georges Piroué dans son livre *Proust et la musique du devenir* s'oppose à Pierre Abraham, lequel veut que les lignes du début de la *Recherche* « rassemblent les *leitmotive* de l'œuvre à la façon des tables thématiques insérées en tête des Nibelungen ». Il est vrai que la « petite phrase » de la Sonate de Vinteuil est comparable à ces

fois, il n'est pas plus facile d'entendre la musique
de Vinteuil que de voir *Le Port de Carquethuit*. Le
romancier ne peut recréer sur le mode imaginaire
une œuvre réelle. Signe d'un signe, la description
nous présente une œuvre fictive, elle est fictive donc
au deuxième degré, si bien que plus l'écrivain la
détaille, moins nous arrivons à la saisir dans son
hypothétique unité. Par exemple, *Le Port de Carquethuit* nous donne moins l'impression d'une toile
unique que d'une surimpression de plusieurs toiles
impressionnistes. *Il ne fait pas réellement tableau.*
(Et de même, quand Balzac tente d'évoquer les
toiles de Frenhofer dans *Le Chef-d'œuvre inconnu*,
Gide, le roman d'Edouard, dans *Les Faux Mon-
nayeurs*, ils ne réussissent pas mieux à nous faire
voir.)

Si nous ne connaissons pas l'œuvre de Saint-
Saëns, les cinq notes de la « petite phrase » de
Vinteuil ne nous diront absolument rien. En effet,
le romancier ne peut rendre avec des mots l'effet
de la musique ; il est obligé de transposer, c'est-à-
dire de se référer à la peinture et à l'architecture.
Proust se livrera à une grande débauche d'images
colorées pour exprimer les sensations auditives. (Le
blanc sera associé par synesthésie à la Sonate, le
rouge au Septuor. Il comparera le Septuor à « une

mélodies courtes qui jouent le rôle, dans l'opéra wagné-
rien, de fiche signalétique musicale d'un personnage, ou
d'une émotion, ou d'un objet. En fait, l'usage du leitmotiv
serait, selon Piroué, tout à fait différent chez Proust,
— plus souple, plus libre à la fois et moins calculé et aussi
plus profond. Chez Wagner, le motif « c'est une forme qui
répète une forme sans contenu ». Piroué termine son
analyse en déclarant d'une façon très nette *qu'il n'y a pas
de rapport entre forme musicale et forme romanesque.*

*transposition, dans l'ordre sonore, de la profon-
deur* ». Dans *Un amour de Swann*, Swann entend,
pour la troisième fois, chez madame de Saint-
Euverte, la Sonate de Vinteuil ; la musique, nous
dit-on, l'entraîne « *vers des perspectives inconnues* ». Et Proust illustre cette ouverture sur une
profondeur à la fois spatiale et métaphysique, par
une comparaison elle-même très révélatrice. Il
évoque ces tableaux de Pieter de Hoogh « *qu'approfondit le cadre étroit d'une porte entrouverte* [1],
tout au loin, *d'une couleur autre,* dans le velouté
d'une lumière interposée ». Cette porte s'entrouvre
sur « un autre monde ». Ailleurs, il qualifiera la
musique d' « éblouissante architecture », et il parlera de son volume :

> « ... la musique qu'elle jouait avait aussi un
> volume produit par *la visibilité inégale des
> différentes phases,* selon que j'avais plus ou
> moins réussi à y mettre de la lumière et à
> rejoindre *les unes aux autres les lignes d'une
> construction* qui m'avait d'abord paru presque
> tout entière noyée dans le brouillard [2]. »

Il s'agit toujours de remembrer des « disjecta mem-
bra », d'établir une troisième dimension, de reconstruire, grâce à une lecture attentive, une apparence
douteuse, de déchiffrer un langage d'autant plus
difficile que la musique « récapitule » et « synthétise » les impressions éprouvées devant les clochers
de Martinville ou certains arbres de Balbec. En
effet, en deux endroits de son œuvre, dans un passage de *La Prisonnière*, et dans un autre du *Temps*

1. I, p. 218.
2. III, p. 373.

retrouvé, Proust précise la ressemblance entre ces diverses « épiphanies » :

> « Ainsi rien ne ressemblait plus qu'une belle phrase de Vinteuil à ce plaisir particulier que j'avais quelquefois éprouvé dans ma vie, par exemple devant les clochers de Martinville, certains arbres d'une route de Balbec ou plus simplement, au début de cet ouvrage, en buvant une certaine tasse de thé [1]. »

Quand le Narrateur trébuche sur un pavé de la cour de l'hôtel de Guermantes, il éprouve une félicité semblable à celle, dit-il,

> « que j'avais cru reconnaître dans une promenade en voiture autour de Balbec, la vue des clochers de Martinville, la saveur d'une madeleine trempée dans une infusion, tant d'autres sensations dont j'ai parlé et que les dernières œuvres de Vinteuil m'avaient paru *synthétiser* [2]. »

Bien que les « sensations vagues » de la musique de Vinteuil soient assimilées aux pensées suggérées par la tasse de thé, c'est-à-dire à des réminiscences, Proust les distingue ailleurs nettement. Il nous dit qu'elles viennent non d'un souvenir, mais d'une impression (comme celle des clochers de Martinville). Et cette *impression,* nous l'avons vu déjà, ne peut s'interpréter que par un effort d'identification avec l'esprit du créateur (dont elle est une projection), c'est-à-dire avec ce que Proust appelle la « fête inconnue et colorée », dont les œuvres musi-

1. III, p. 375.
2. III, p. 866.

cales ne sont que « des fragments disjoints, les éclats aux cassures écarlates ».

La difficulté de lecture dérive donc d'une triple fragmentation : l'œuvre musicale, architecture de sons, ne présente pas un aspect visible sous tous les points de vue, elle apparaît fragmentée ; d'autre part, même dans son unicité profonde, elle n'est encore qu'un « éclat », un météore tombé d'un monde auquel elle renvoie ; enfin on ne peut l'entendre toujours, elle est comme séparée d'elle-même par les « lacunes de chaque audition [1] ». Pourtant, plus ou moins obscurément, la musique symbolise une réalité spirituelle, comme les métaphores elstiréennes renvoient à une essence qualitative appartenant à deux sensations distinctes. En effet, les sons semblent reproduire la « pointe intérieure et extrême des sensations ». Et non seulement ils rendent sensible cette pointe (ce que Claudel nomme dans *La Cantate à trois voix :* « cet instant suraigu, cet acumen... »), cette ivresse spécifique que peut donner une belle journée, ou l'opium, ou l'orgasme, mais ils aiguisent encore cet « acumen », approfondissent cette ivresse en lui donnant un équivalent spirituel, car les sons semblent aussi rendre « *l'inflexion de l'être* ». Et plus encore, la musique est un appel et une promesse. Appel vers l'ultra-monde inconnu, suggéré par la porte entrouverte des tableaux de Hoogh, promesse dont le contenu sera manifesté clairement par l'Ange d'or de Saint-Marc, beaucoup plus tard, mais qui, dès l'épisode d'*Un amour de Swann,* sera perçu par Charles Swann. Ce dernier, nous dit-on,

1. III, p. 255.

tenait les motifs musicaux pour des véritables
idées d'un autre monde, « idées voilées de ténèbres,
inconnues » mais qui existent réellement. Toutefois, elles ne brillent qu'un instant, quand un
« explorateur de l'invisible » arrive à les arracher
au monde divin. La phrase musicale de Vinteuil,
comme la peinture d'Elstir, est un arc-en-ciel qui
relie la terre et le ciel [1]. Elle transfigure les impressions terrestres, elle incarne les essences célestes
dans l'intensité de l'instant où elles fulgurent. Et
le Narrateur perçoit, lors de la première audition
du *Septuor,* les termes d'un message encore indistinct — prophétisant pour lui une joie supra-ter-
restre. Et cette promesse, ce n'est pas encore *l'Ange
d'or* de Venise qui la fait, mais *l'Ange écarlate* de
Mantegna sonnant dans un buccin [2]. Toutefois, son
contenu est confié à notre divination. Quelle est
cette formule *éternellement vraie, à jamais
féconde ?* Quelle espérance nous annonce-t-elle ?
Précisément que TOUT DOIT REVENIR, comme revient
la « petite phrase » du Septuor. Cette phrase
n'est pas celle de la Sonate, cependant elle la rappelle :

> « ... à plusieurs reprises *une phrase,* telle ou
> telle, *de la Sonate revenait... la même et pour-
> tant autre comme reviennent les choses dans
> la vie ;* et c'était une de ces phrases qui... ne
> se trouvent que dans son œuvre... ; j'en avais
> distingué dans le septuor deux ou trois qui
> me rappelaient la Sonate... Bientôt j'aperçus
> une autre phrase de la Sonate... Puis elles
> s'éloignèrent, sauf une que je vis repasser cinq

1. I, p. 352.
2. III, p. 260.

ou six fois, sans que je pusse apercevoir son visage [1]. »

Promesse faite par le phénix buvant aux urnes des chapiteaux de Saint-Marc, promesse contenue plus ou moins clairement dans les diverses épiphanies qui, *ressuscitant le passé, rendent possible l'avenir.* Ces épiphanies sont en effet *des points de repère,* situés à des intervalles plus ou moins grands sur le chemin de la vie du Narrateur, mais « tranchant avec tout le reste » ; points de repères, « amorces pour la construction d'une vie véritable [2] ».

Enfin la musique de Vinteuil, en plus d'une fonction métaphysique, a un rôle romanesque et technique. La blanche Sonate préside au déroulement de la passion de Swann pour Odette, comme le rouge Septuor accompagne, tel un emblème, les phases de l'amour de Marcel pour Albertine. La « réflexion » de la première œuvre dans la seconde signifie l'analogie secrète entre les deux épisodes amoureux, dont le premier prophétise les péripéties dramatiques du second, l'épisode « Marcel » étant une répétition amplifiée de l'épisode « Swann ». Ainsi l'enseignement de Vinteuil recoupe celui d'Elstir. Le peintre a appris au Héros à rentoiler les morceaux disparates de l'espace, grâce à des métaphores visuelles. Le musicien, lui aussi, fait usage de métaphores, non point picturales, mais auditives et temporelles. La *phrase type* qui se répète, à tel ou tel endroit de la Sonate ou du Septuor, *est la même et pourtant autre :* elle se métamorphose

---

1. III, p. 259. Elles s'éloignent comme les 3 clochers ou les 3 jeunes filles au bois de Boulogne.
2. III, p. 261.

constamment, comme le ciel et la mer sur la toile
d'Elstir.

Comme les deux morceaux de Vinteuil reflètent
le changement de ton de la *Recherche,* ton qui
passe de la tendresse à la stridence, de la lenteur à
la précipitation, comme Elstir dans ses tableaux
représente des vues de mer ou des églises, motifs
picturaux qui « redoublent » les descriptions de
mer ou d'églises de Normandie, de même Bergotte
décrit, dans ses romans, un milieu familial, bourgeois et ennuyeux, qui semble assez proche de celui
que Proust, à travers le récit de son Narrateur, nous
présente dans *Du côté de chez Swann.* Je dis :
semble, car, de l'œuvre de Bergotte, nous ne savons
à peu près rien. Proust nous offre quelques exemples
de son style, citations qui évoquent à la fois France
et Renan et qui ne sont pas très frappantes. L'esthétique de Bergotte n'est pas étudiée non plus avec
ampleur, comme celle d'Elstir. Du moins, la lecture
de ses œuvres enseigne au Narrateur une chose
importante pour un romancier : *la valeur de l'objectivité.* Bergotte lui apprend que le génie est tout
dans le regard réfléchissant, et non dans le spectacle, qu'il tient moins à la puissance de l'intelligence, à l'étendue de la culture, à la situation
sociale élevée, qu'à un certain pouvoir de transposition, d'objectivation. Ce pouvoir, qualité *sui gene-
ris,* est d'abord capacité de sortir de son propre
soi, de transformer sa personnalité en un miroir
impersonnel. Le message de Bergotte évoque
donc celui de Flaubert qui a recherché, lui aussi,

une magnification du banal et le plus strict
objectivisme. Le génie n'est pas seulement maîtrise de soi et des choses, il est aussi élévation,
domination :

> « Pour se promener dans les airs, il n'est pas
> nécessaire d'avoir l'automobile la plus puis-
> sante, mais une automobile qui, ne continuant
> pas de courir à terre *et coupant d'une verti-*
> *cale* la ligne qu'elle suivait, soit capable de
> convertir en *force ascensionnelle* sa vitesse
> horizontale. De même ceux qui produisent des
> œuvres géniales ne sont pas ceux qui vivent
> dans le milieu le plus délicat, qui ont la
> conversation la plus brillante, la culture la
> plus étendue, mais ceux qui ont eu le pouvoir,
> cessant brusquement de vivre pour eux-
> mêmes, de rendre leur personnalité pareille
> à un miroir, de telle sorte que leur vie, si
> médiocre d'ailleurs qu'elle pouvait être mon-
> dainement, et même, dans un certain sens,
> intellectuellement parlant, s'y reflète, *le génie*
> *consistant dans le pouvoir réfléchissant et non*
> *dans la qualité intrinsèque du spectacle*
> *reflété.* Le jour où le jeune Bergotte put mon-
> trer au monde de ses lecteurs le salon de mau-
> vais goût où il avait passé son enfance et les
> causeries pas très drôles qu'il y tenait avec ses
> frères, *ce jour-là il monta plus haut que les*
> *amis de sa famille,* plus spirituels et plus dis-
> tingués : ceux-ci dans leurs belles Rolls-Royce
> pourraient rentrer chez eux en témoignant
> un peu de mépris pour la vulgarité des
> Bergotte ; *mais lui, de son modeste appareil*
> *qui venait enfin de « décoller », il les sur-*
> *volait.* »

Nous retrouvons ici la métaphore du *survol,* du

point de vue élevé qui se trouve suggéré déjà par deux observatoires : le clocher de Combray et le banc-observatoire du Jardin de la Raspelière. Proust insère également, dans ce portrait spirituel, une idée qui lui est chère : l'importance limitée du sujet. (Tant que le Narrateur est demeuré à l'affût d'un grand sujet philosophique, au lieu de regarder autour de lui et en lui, il a été condamné à la stérilité). L'expérience de Bergotte, bien que moins décisive que l'expérience Elstir, apporte cependant à Marcel une confirmation inestimable. L'œuvre de l'écrivain Bergotte joue aussi le rôle de pont ou d'arc-en-ciel entre le monde intérieur de Marcel (monde « autiste » coupé de communication directe avec la réalité) et celui de la culture universelle, c'est-à-dire avec *le royaume du vrai* :

> « Un jour, ayant rencontré dans un livre de Bergotte, à propos d'une vieille servante, une plaisanterie que le magnifique et solennel langage de l'écrivain rendait encore plus ironique, mais *qui était la même que j'avais souvent faite* à ma grand-mère en parlant de Françoise, une autre fois où je vis qu'il ne jugeait pas indigne de figurer dans un de *ces miroirs de la vérité* qu'étaient ses ouvrages une remarque analogue à celle que j'avais eu l'occasion de faire sur notre ami M. Legrandin (remarques sur Françoise et M. Legrandin qui étaient certes de celles que j'eusse le plus délibérément sacrifiées à Bergotte, persuadé qu'il les trouverait sans intérêt), il me semble soudain *que mon humble vie et les royaumes du vrai n'étaient pas aussi séparés* que j'avais cru, qu'ils coïncidaient même sur certains points,

et de confiance et de joie je pleurai sur les pages de l'écrivain comme dans les bras d'un père retrouvé [1]. »

Assez curieusement, l'œuvre de l'écrivain est décrite, dès le début du Roman, dans des termes « musicaux », comme celle de Vinteuil le sera plus loin en termes « picturaux », comme celle d'Elstir en termes « littéraires » :

> « Les premiers jours, *comme un air de musique* dont on raffolera, mais qu'on ne distingue pas encore, ce que je devais tant aimer dans son style ne m'apparut pas. Je ne pouvais pas quitter le roman que je lisais de lui, *mais me croyais seulement intéressé par le sujet* [2]... »

Le lecteur de Proust a l'impression d'assister à une préparation de l'épisode où Swann découvre la Sonate et la petite phrase. En effet, le Narrateur nous confie qu'un des passages de Bergotte, le troisième ou le quatrième qu'il a isolé du reste, l'inonde d' « une joie incomparable » à celle qu'il avait trouvée au premier passage. Il s'agit donc d'une de ces *répétitions* qui provoquera chaque fois une extase. Joie, dit-il :

> « que je me sentis éprouver en une région plus profonde de moi-même, plus unie, plus vaste, *d'où les obstacles et les séparations semblaient avoir été enlevés.* C'est que... je n'eus plus l'impression d'être en présence d'un morceau particulier d'un certain livre de Bergotte, traçant à la surface de ma pensée *une figure purement linéaire,* mais plutôt du « morceau

1. I, p. 96.
2. I, pp. 93-94.

idéal » de Bergotte, commun à tous ses livres
et auquel tous les passages analogues qui
venaient se confondre avec lui auraient donné
une sorte *d'épaisseur, de volume,* dont mon
esprit semblait agrandi [1]. »

Le « morceau idéal » est analogue, comme la
petite phrase de Vinteuil, à une figure de style, à
une métaphore qui unit et résume des *éléments
communs* ; appareil optique, il crée la profondeur
romanesque propre à Bergotte. Nous pouvons donc
saisir sur le vif, grâce au rabâchage enivré de
Proust, l'unité de préoccupation qui l'habite. Interrogeant fiévreusement ses guides, le Narrateur
tente à chaque fois d'isoler, dans les œuvres d'art
qu'il admire, *un fait unique.* Ce phénomène, chaque
art en particulier le décrit sur son mode propre ; il
est l'équivalent ou l'écho des « impressions » éprouvées devant les clochers de Combray et de Martinville. (Toutefois, les impressions directes dépassent
finalement en importance les messages artistiques.
Ceux-ci n'ont pour fonction que de confirmer au
Narrateur la valeur universelle des vérités qu'il
devine en lui-même ou hors de lui). Les guides tien-
nent bien l'office de libérateurs, mais tel le Virgile
de *La Divine Comédie,* à un certain moment, ils
doivent s'effacer devant la révélation directe du
réel.

Libérateurs et réconciliateurs, tels sont Bergotte,
Elstir, Vinteuil. Le peintre supprime la démarcation

1. I, p. 94.

entre les éléments abstraitement séparés par Dieu ou par la raison, il fluidifie l'univers, le vaporise, le fait scintiller, multipliant les images et les reflets. Le musicien fait voir « ce qu'il est presque défendu de contempler », exprime l'ineffable et l'invisible, cette « *essence qualitative* des sensations d'un autre être que l'amour humain ne peut capter, car il ne peut aller si loin » ; il propose un instrument unique de communication des âmes, il sacre et universalise les émotions égoïstes d'un individu. Le romancier fait tomber des séparations analogues, non pas celles qui empêchent de voir la mer dans le ciel, c'est-à-dire d'habiter poétiquement le monde, ni celles qui nous interdisent de communiquer avec d'autres âmes et avec le monde divin, mais plutôt celles qui nous limitent à une vue « autiste » et horizontale des choses, qui nous empêchent de nous élever à un point dominant et réconciliateur, c'est-à-dire de comprendre que notre expérience propre est celle de l'humanité entière. Expérience qui est la vraie vie :

> « ... la vie enfin découverte et éclaircie, la seule vie par conséquent réellement vécue, *c'est la littérature ;* cette vie qui, *en un sens, habite à chaque instant chez tous les hommes aussi bien que chez l'artiste* [1]. »

1. III, p. 895.

VII

ARGUS AUX CENT YEUX

L'art nous ouvre cent univers différents : il est le vrai voyage.

Le thème du voyage renvoie naturellement à celui d'apprentissage. Comblé des biens de ce monde, Marcel est pourtant seul, perdu comme un homme qui se réveille dans une chambre inconnue et qui ne s'oriente pas. Il devra reconquérir l'univers, remonter à la préhistoire ; il se compare à l'homme des cavernes le plus dénué. Dès l'enfance, il apprend que son père, auquel il attribuait la toute-puissance, ne peut l'aider en rien. Les réminiscences prémonitoires ne l'encouragent que fugitivement. Il s'apercevra également qu'Eros ne possède pas la clé que détient seul Orphée. L'expérience mondaine débouche sur de perpétuelles erreurs et ne révèle que la puissance destructrice du temps. Les monuments, bibles de pierre, choses pénétrées d'esprit, lui présentent plus clairement l'image de la patrie qu'il recherche. Interrogeant les œuvres d'Elstir et de Vinteuil, c'est-à-dire passant des œuvres à leur créateur, il fait un pas de plus vers la maîtrise de son métier. L'œil d'Argus, c'est l'œil du contemplateur de l'église Saint-Hilaire : comme un rétiaire, il la saisit dans un solide filet, tourne autour d'elle qui demeure immobile, myrmidon lourdement chargé. C'est, aussi, l'œil synoptique du peintre. En effet, le mythe d'Argus aux cent yeux symbolise au mieux l'ambition de Proust. (On songe au Christ couvert d'yeux de Brunelleschi, un des maîtres de la perspective.) Le seul véritable voyage, c'est de voir l'univers avec les yeux « d'un autre, de cent autres, de voir les cent univers que chacun d'eux voit [1] ». Auprès du peintre Elstir, Marcel accomplit le plus décisif des apprentissages ; il apprend à voir.

Proust se réfère avec prédilection aux instruments optiques : microscopes et téléscopes, appareils photographiques, lanternes magiques, stéréoscopes ; aux postes d'observation : clochers, falaises et terrasses, fenêtres, aéroplanes [2]. On a comparé son œil à celui de la mouche. Cependant il ne se contente pas de multiplier les images, il veut aussi les concentrer, les mettre au point, les faire converger. Promenades circulaires, récapitulations, synthèses, abrégés, tous ces termes signifient une même intention. La toile d'Elstir intitulée *Le Port de Carquethuit* concentre les œuvres de divers peintres contemporains ; le Septuor de Vinteuil *synthétise* les sensations éprouvées à Martinville ou lors de l'épisode de la madeleine ; il résume aussi toutes les autres œuvres du musicien, et particulièrement

1. III, p. 1258.
2. Il fait encore appel au cinéma, et même à la télévision qu'il appelle *le photo-téléphone de l'avenir !* Cf. I, p. 930.

la Sonate, timide essai [1]. Et comme les vérités, tirées
de l'expérience de l'amour, reflètent celles plus
profondes de l'art, le vaste amour de Marcel pour
Albertine *récapitule* ses passions précédentes, qua-
lifiées, elles aussi, de « minces et timides essais pré-
paratoires ».

Ici nous entrons dans un autre monde, celui des
personnes et de leurs énigmes respectives. On sait
que l'univers proustien est hiérarchisé. Tout au bas
de l'échelle se situe l'univers social, monde de
l'inauthentique, presque uniquement représenté
par des salons bourgeois et aristocratiques. En effet,
le monde de la noblesse, régi par des lois strictes
auxquelles les autres milieux adhèrent plus ou
moins fidèlement, tient, comme la Cour de jadis,
le rôle de modèle ou de norme. Dans ce monde,
comme dans celui des sauvages, l'ethnologie est
une science exacte. Un peu au-dessus, il y a le
monde des passions, génératrices des illusions les
plus tenaces. Puis, beaucoup plus haut, celui, déjà
impersonnel et pourtant moins général, des sensations ou impressions, des signes véridiques. Enfin,
au sommet, l'univers de l'art, transpersonnel
quoique toujours projeté par un esprit créateur
particulier, un point différentiel, une monade.
Dans le premier monde, les répétitions n'entraî-
nent que des changements de place dans le ballet
social. Dans le second, elles nous apprennent une
vérité essentielle : l'amour n'arrive pas à pénétrer

1. III, p. 866.

le secret dernier d'un être, son essence. Marcel ne pourra jamais exactement voir ce que voit Albertine, s'identifier à elle comme il le fait pour Elstir. Sur ce plan, la séparation entre les êtres ne sera jamais supprimée, car l'être aimé, parce qu'il est aimé, se dérobe sans cesse à l'interrogation de l'amant.

L'analyse psychologique ne réussit pas comme l'art à communiquer l'essence cachée sous les métamorphoses. Chaque être étant au moins double et présentant une multitude de visages, l'analyste ne synthétisera qu'avec peine ses apparences diverses, il ne vaincra pas la duplicité. Le monde de l'amour-passion est celui de l'imposture, du mensonge, de la fuite.

Il n'en demeure pas moins qu'étant homme, et sollicité par la vie autant que par l'art, Marcel demeure en porte à faux. Il se rend compte à un certain moment que le livre qu'il veut écrire ne peut reposer entièrement sur des moments de joie exceptionnels ; il faut que le psychologue, chercheur de vérités approximatives, vienne relayer le poète, au moment où les sensations de brève félicité se raréfient. Au début du *Temps retrouvé*, dans le train qui le ramène à Paris après des années passées dans une maison de santé [1], le Héros contemple, au cours d'un arrêt en pleine campagne, une ligne d'arbres éclairés à mi-hauteur et disposés le long de la voie. Il ne retrouve plus en lui la force et l'enthousiasme qui jadis douaient d'une signification mystérieuse tel reflet dans une mare, tel tremblement d'herbes folles. Devant les arbres d'Hudimes-

1. III, p. 854.

nil, il évoquait encore la vraie vie. Ici, il ne perçoit même plus l'écho affaibli d'une vérité qui se dérobe. Devant le rideau d'arbres protégeant la voie, n'éprouvant plus rien que le refroidissement de son cœur, il déclare : « Peut-être dans la nouvelle partie de ma vie, si desséchée, qui s'ouvre, les hommes pourraient-ils m'inspirer ce que ne me dit plus la nature... » Tel un incroyant dans une église, il ne ressent plus que de l'ennui. A « l'inspiration impossible », peut-être pourra-t-il tout juste pallier par l'observation humaine. Le poète semble se résigner ici à devenir un psychologue.

Ce psychologue éprouve pourtant sans cesse le besoin de rehausser les portraits ou les scènes qu'il retrace par des analogies poétiques. Ses personnages se profilent toujours sur un paysage symbolique. Aux chassés-croisés de la perspective qui font jouer « un château aux quatre coins avec une colline, une église et la mer[1] », font écho les chassés-croisés sociaux, dont *Le Temps retrouvé* énumère, avec un humour désabusé, les variétés. Ainsi Odette devenant sur sa fin la maîtresse ou l'épouse de la main gauche du duc de Guermantes, madame Verdurin épousant le prince de Guermantes. De même, le Narrateur, Gilberte et Robert forment à Tansonville, à environ vingt ans de distance, un groupe ternaire qui réplique symétriquement au groupe Charlus-Odette-Swann du premier chapitre de *Du côté de chez Swann*.

1. II, p. 1006.

C'est également à Tansonville (début du *Temps retrouvé*) que Gilberte confie au Narrateur les sentiments qu'elle éprouvait pour lui dans son enfance. Elle lui explique le sens du signe qu'elle lui avait adressé furtivement derrière la haie fleurie[1]. L'aveu qui met un terme tardif à un durable malentendu, est suivi immédiatement d'une révélation d'une autre sorte. Gilberte apprend à Marcel l'existence d'un *chemin de traverse* : « Si vous n'aviez pas trop faim et s'il n'était pas si tard, en prenant ce chemin à gauche et *en tournant ensuite* à droite, en moins d'un quart d'heure nous serions à Guermantes. » Et le Narrateur commente : « C'est comme si elle m'avait dit : « *Tournez à gauche, prenez ensuite à votre main droite,* et vous toucherez l'intangible, vous atteindrez les inattingibles lointains, dont on ne connaît jamais sur terre que la direction. » Au cours d'une autre promenade, Gilberte lui indique encore un autre chemin inconnu pour aller à Guermantes, qui passe par Méséglise. Ces promenades qui rappellent celle faite par Marcel dans la nuit de Combray, en compagnie de ses parents et qui provoque une stupéfaction analogue, symbolisent un double rapprochement : sentimental (Marcel retrouve la Gilberte des premiers temps), social (Gilberte a épousé un Guermantes). Elles provoquent la soudaine contiguïté des « côtés ». Les explorations psychologiques, grâce à ces raccourcis psychologiques, à ces courts-circuits, produisent parfois, elles aussi, *la déflagration immédiate et délicieuse du souvenir.* Elles peuvent aussi étonner, dépayser et rapatrier. Le kaléido-

---

1. I, p. 141.

scope social et sentimental retiendra le charme du jouet enfantin.

Si, dans les scènes parallèles et correspondantes, les personnages sont juxtaposés en formations variables, comme les débris colorés du kaléido-scope, Proust tente quelquefois de cerner un être par une autre méthode que celle de la juxtaposition, c'est-à-dire par une technique analogue à la surim-pression typographique, au montage cinématogra-phique. C'est ainsi que dans *La Prisonnière,* Marcel, récapitulant les divers profils d'Albertine, parle de la « superposition des images successives [1] » de la jeune fille. De même, il imagine sa grand-mère « à travers la transparence des souvenirs *contigus et superposés* [2] ». Finalement il aura recours *à une troisième méthode,* perfectionnement des deux autres, c'est-à-dire à la vision stéréoscopique, laquelle autorise une véritable psychologie dans l'espace.

Albertine lui apparaîtra comme une *statue* dont le volume est constitué par plusieurs clichés assem-blés. Zénon d'Elée romancier, Proust décompose souvent le mouvement en étapes immobiles. L'épi-sode de la gifle de Saint-Loup nous donne un exemple frappant de cette décomposition :

> « ... tout d'un coup, comme apparaît au ciel un phénomène astral, je vis des corps ovoïdes *prendre avec une rapidité vertigineuse toutes*

1. III, p. 69.
2. II, p. 141.

> *les positions* qui leur permettaient de com-
> poser, devant Saint-Loup, une instable constel-
> lation. Lancés comme une fronde, *ils me sem-*
> *blèrent être au moins au nombre de sept.* Ce
> n'était pourtant que les deux poings de Saint-
> Loup, multipliés par leur vitesse à changer de
> place *dans cet ensemble en apparence idéal et*
> *décoratif* [1]. »

Puis par un mouvement inverse, il tente une synthèse des images, une reconstitution du polyèdre
humain. Chaque facette respective témoignera
d'une certaine époque, la profondeur spatiale sym-
bolisant la perspective temporelle. Le Narrateur
parlera du volume d'Albertine « constitué par les
trajets multiples entre les différents point du passé
que son souvenir occupe en lui [2] ».

La reconstruction pourtant n'est jamais complète.
Le recensement des profils d'Albertine, jamais
exhaustif, laissera Marcel sur sa soif. La métaphore
des « volumes », comme celle de l'astre présentant
au cours de sa révolution des aspects différents,
n'est pas tout à fait adéquate. Proust ne l'ignore
pas : l'intermittence et la discontinuité caractérisent
aussi bien les mouvements du cœur que les apparitions des êtres. Nous abordons ici le problème le
plus ardu de la psychologie proustienne.

Il peut arriver, par éclairs, dans la transe de la
réminiscence involontaire, que Marcel voie se
dérouler un panorama intense et coloré, une con-

1. II, p. 182.
2. III, p. 372.

centration de l'espace-temps. Mais le plus souvent l'effort du Héros pour trouver le point de vue privilégié, pour rassembler des images, pour construire un volume, une perspective profonde, manifeste l'activité de sa volonté. La mémoire volontaire, essayant de combler des vides, ne fait alors que combiner des éléments homogènes. Or, la continuité, qui semble parfois le but idéal que s'est proposé le romancier, lui apparaît, à d'autres moments, l'obstacle qui s'oppose à une saisie originale. Des êtres qu'il a fréquentés le plus continûment, nous dit-il, il ne garde qu'une image vague, une espèce de *moyenne* entre « une infinité d'images insensiblement différentes [1] ». La vision continue, panoramique ou cinématographique, même si elle pouvait être conquise (et nous savons qu'elle ne l'est que rarement), ne serait pas souhaitable. Il écrira :

> « ... on peut prolonger les spectacles de la mémoire volontaire qui n'engage pas plus des forces de nous-mêmes que feuilleter un *livre d'images* [2]. »

Plaisir égoïste du collectionneur qui satisfait Swann énumérant ses amours exposés dans la *vitrine* de son cœur ; émotion érudite du Héros contemplant les façades de Reims ou de Chartres, spectacles superficiels et finalement ennuyeux qui n'engagent pas le spectateur :

> « J'essayais maintenant de tirer de ma mémoire d'autres instantanés.. qu'elle avait pris à Venise, mais rien que ce mot me la ren-

1. III, p. 847.
2. III, p. 873.

dait *ennuyeuse comme une exposition de photographies* [1]*... »*

En effet, ce qui colore un personnage et lui donne
du relief, *c'est la retrouvaille.* L'éther incolore, symbole de la distance et de la déperdition dans
l'espace, devient l'élément sauveur ; l'oubli, l'instrument merveilleux de la reconnaissance, et la discontinuité, le révélateur du temps ; enfin, les intermittences du cœur mettront en évidence le spectre
complexe du sentiment amoureux. La durée continue, rendue visible par exemple dans la mousse couleur émeraude qui recouvre une conduite d'eau (et
cette image plaît aussi à Proust, dont la pensée comporte, évidemment, plus d'une ambiguïté), veloute,
adoucit, harmonise certaines régions du réel. Mais
cette notion risque de masquer d'autres réalités plus
accidentées, plus abruptes, où dans l'éclair de l'instant ou du choix, quelque chose se transforme soudainement. Ainsi la multiplicité des souvenirs associés à mademoiselle de Saint-Loup arriverait
presque à constituer un tableau homogène et,
grâce à un riche réseau de fils, à tisser une tapisserie sans lacunes. Mais le plus souvent la mémoire
proustienne est obligée de ravauder d'immenses
pans d'oubli. L'oubli détraque, disloque les distances temporelles, introduit des interpolations dans
un texte déjà bouleversé. Les distances temporelles
sont parfois distendues, parfois rétrécies et font
croire à Marcel qu'il est tantôt beaucoup plus loin,
tantôt beaucoup plus près des choses qu'il ne l'est
en réalité. Elles se laissent comparer aux lettres latines gravées sur les tombes des abbés de Combray,

---

1. III, p. 865.

tantôt contractées, tantôt exagérément distendues.

Mais le vide qui sépare deux images d'un être va permettre précisément de faire sentir le passage du temps. C'est la difficulté même de la remémoration qui va faire jaillir un contraste illuminateur. C'est ainsi qu'au moment où il apprend la mort de Saint-Loup, Marcel l'évoque en tous les lieux où il l'a vu, chaque fois durant un instant :

> « Et de l'avoir *vu si peu en somme, en des sites si variés,* dans des circonstances si diverses et *séparées par tant d'intervalles...* ne faisait que me donner de *sa vie des tableaux plus frappants,* plus nets [1]... »

De même, Marcel comprendra mieux la notion d'église, quand il devra faire un effort pour deviner les formes de l'église de Carqueville, tout enfouie dans du lierre. Lorsque Albertine lui joue un nouveau morceau de musique, qu'il ne connaît pas, il tire alors un vif plaisir à deviner son volume « produit par la *visibilité inégale* des différentes phases », *à rejoindre « les unes aux autres les lignes d'une construction noyée dans le brouillard* [2] ». C'est ainsi que les différentes images d'Albertine, situées elles-mêmes sur les plans distincts des différents épisodes de la vie de Marcel, ne sont plus séparées si tragiquement par des hiatus, par des trous d'ombre. Le Narrateur nous parle de « *la beauté des espaces interférés* », de « ce long temps révolu où j'étais resté sans la voir » qu'il assimile à une « diaphane profondeur ». La profondeur de l'espace incolore rend visible, par sa diaphanéité

1. III, p. 847.
2. III, p. 373.

même, le temps, « cette dimension *inconcevable et sensible* ». Proust déclare ailleurs d'une façon péremptoire :

> « ... ce qui nous rappelle le mieux un être, c'est justement *ce que nous avions oublié* (parce que c'était insignifiant, et que nous lui avons ainsi laissé toute sa force)... *C'est grâce à cet oubli seul* que nous pouvons *de temps à autre* retrouver l'être que nous fûmes... *Au grand jour de la mémoire habituelle,* les images du passé pâlissent peu à peu, s'effacent[1]... »

Retrouver le temps à travers une exploration poétique de l'espace et une enquête psychologique de l'être humain, grâce à des multiplications de points de vue, à des jeux de relations, de déplacements, de raccourcis, de symétrie, de substitution, de juxtaposition, de surimpression, de reconstruction, c'est-à-dire de perspective, voilà, semble-t-il, la volonté dominante du romancier. Or, Argus devra reconnaître que, malgré tous ses yeux, tous ses instruments optiques, toutes ses méthodes d'approche, le temps lui échappe, l'espace reste fragmentaire, les êtres inattingibles demeurant comme dissimulés sous le nombre de leurs aspects déroutants. Ce qui, peut-être, permet d'éprouver le temps, c'est parfois l'éclair instantané de la réminiscence, le vide de l'espace, les trous de la mémoire. Et ce qui est vrai du temps, l'est des personnages (qui baignent dans ce temps), de leur essence et de leurs métamorphoses imprévisibles.

1. I, p. 643.

VIII

ESSENCE ET MÉTAMORPHOSES D'ALBERTINE

L'église Saint-Hilaire est comprise, aimée, comme un être vivant et presque humain. C'est ainsi que le Narrateur voudrait concevoir Albertine. Toutefois, cet être de fuite se dérobe, et il est bien rare que nous la contemplions comme un monument ou une statue autour de laquelle l'on puisse tourner [1]. Les images que nous possédons d'elle, à la fin du Roman, demeurent aussi disparates que celles de la duchesse de Guermantes ou d'Odette, lesquelles sont séparées chacune par des distances astronomiques :

> « ... il y avait plusieurs duchesses de Guermantes, comme il y avait eu depuis la dame en rose plusieurs madame Swann, *séparées par*

1. Taine n'appréciait que les romans où « le cordon ombilical était coupé », où les « figures tournaient ». Dans son livre intitulé *The Craft of Fiction* (1921) (*La Technique du roman*), Percy Lubbock écrit : « Il nous faut une méthode qui permette au spectateur de voir toutes les faces de l'objet, à gauche et à droite, aussi loin que possible, exactement comme avec deux yeux, stéréoscopiquement, nous formons et solidifions l'impression plate d'une sphère. » (P. 178.)

> *l'éther incolore des années,* et de l'une à l'autre desquelles je ne pouvais pas plus sauter que si j'avais eu à quitter une planète pour aller dans une autre planète *que l'éther en sépare* [1]. »

Albertine, comme la duchesse ou Odette, nous présentera, au cours de sa révolution planétaire, des phases diverses. Les épisodes de sa vie, comme ceux de la vie de Saint-Loup, se placent dans « les sites les plus différents », se déroulent dans tous les décors. Et l'intégration de toutes ses phases ne sera jamais terminées. De même la multiplication perspectiviste des aspects des clochers de Martinville ne permet guère au Narrateur *d'écorcer* leur réalité. Déplierait-il comme un vaste éventail toutes les apparences rassemblées, que Marcel n'arriverait pas à capter l'essence du clocher ou celle d'Albertine.

Statue, planète, Albertine est aussi comparée à une ville forte défendue par un système compliqué de fortifications, comprenant une série successive de lignes de défense qui sont les différents aspects de la jeune fille. Ceux-ci, au lieu de divulguer l'être, l'occulte, en dérobant l'image première authentique. Au cours d'une discussion avec Andrée, qui lui fait des révélations sur certains épisodes cachés de la vie d'Albertine (*La Fugitive*), Marcel s'aperçoit, en effet, qu'au premier coup d'œil, il avait déjà saisi la vérité d'Albertine :

1. III, p. 990.

« ... *l'Albertine réelle* que je découvrais, après avoir connu tant d'apparences diverses d'Albertine, différait fort peu de la fille orgiaque surgie et *devinée, le premier jour* sur la digue de Balbec [1]... »

Ce passage nous renvoie aussitôt aux tableaux d'Elstir et au récit du voyage vers Beaumont. Arriver au cœur d'Albertine, *c'est retrouver la première apparence, qui contient l'essence de son être,* après avoir passé par le « reste », c'est-à-dire tous les aspects compris entre le premier et le dernier. « *Les proportions vraies étaient celles que la perspective du premier coup d'œil avait indiquées.* » La première apparence, à laquelle est attachée une signification essentielle, est l'équivalent de ces illusions immédiates que capte l'art d'Elstir. La mer prise pour la terre, peinte comme une terre, voile et révèle une vérité profonde ; elle amorce une métaphore, une métamorphose.

Il en est de même pour cette apparence que happe le premier regard *dans l'éclair d'une intuition qui est l'analogue, sur le plan psychologique et sur le mode volontaire, de la révélation bienheureuse.* Dans la première apparition d'un être, tout son futur est contenu. Au cours du récit, Marcel, le Narrateur, a souvent oublié cet événement capital, et il lui faut, dit-il, « *le hasard d'un éclair d'attention* » pour rattacher les images plus récentes à *la racine étymologique,* à cette signification primitive que telle personne avait eue pour lui jadis. Formule très significative : la découverte psychologique fulgure comme l'hypermnésie, à cette différence près

1. III, p. 609.

qu'elle récompense un effort intellectuel, au lieu de résulter d'un processus inconscient. Elle est comme une remontée à une étymologie qui dévoilerait le nom secret de l'être, son essence, que celui-ci se refuse à révéler : de même, les sauvages de l'Amazonie, par prudence, ne prononcent pas leur nom indien [1].

Qu'on se souvienne de l'épisode de *Combray*, où par-dessus une haie d'épines roses, Gilberte jette une œillade ambiguë à Marcel en promenade du côté de Méséglise, en compagnie de son grand-père et de son père :

> « Tout à coup, je m'arrêtai, je ne pus plus bouger, comme il arrive quand une vision ne s'adresse pas seulement à nos regards, mais requiert des perceptions plus profondes et dispose de *notre être tout entier* [2]. »

La jeune fille lui apparaît pour la première fois, brusquement, elle lui saute aux yeux. Il est pétrifié. Or, la « vision » qui se propose à lui *ne se réduit pas à un spectacle, mais elle requiert, au contraire, l'effort de tout son être,* de toutes ses facultés. Véritable épiphanie, qui lui découvre l'essence véritable de Gilberte, apparence faussement interprétée d'ailleurs par le jeune homme. Son regard veut toucher « le corps et l'âme avec lui » de la jeune fille, exactement comme il veut écorcer le clocher de Martinville. Toutefois, il verra bleus les yeux de Gilberte, qui sont en réalité noirs ; il ne compren-

---

1. Au Narrateur correspondent, dans le Roman, deux doubles, férus comme lui d'étymologie, le curé de Combray et Brichot l'universitaire. Quant à Charlus, il se passionne, comme Saint-Simon, pour la généalogie.
2. I, p. 140.

dra pas le sens véritable de son regard et de son geste. Et pourtant, malgré cette erreur, il saisit, mais dans un éclair, « quelque chose » qui est la véritable Gilberte.

L'éclaircissement de cet épisode sera donné par Gilberte elle-même à Tansonville, c'est-à-dire dans le même lieu, mais à vingt ans de distance [1]. Elle signale à Marcel l'existence du raccourci entre Tansonville et Guermantes ; elle lui montre *les sources* de la Vivonne, jadis lieu quasi mythologique ; enfin, elle lui confie la signification véritable de son regard de jadis :

> « Epanchant brusquement sur elle la tendresse dont j'étais rempli par l'air délicieux, la brise qu'on respirait, je lui dis : « Vous parliez l'autre jour du raidillon ; comme je vous aimais alors ! » Elle me répondit : « Pourquoi ne me le disiez-vous pas ? je ne m'en étais pas doutée. Moi je vous aimais. Et même deux fois je me suis jetée à votre tête. — Quand donc ? — La première fois à Tansonville... ». « Et la seconde fois, reprit Gilberte, c'est, bien des années après, quand je vous ai rencontré sous votre porte, la veille du jour où je vous ai retrouvé chez ma tante Orianne ; je ne vous ai pas reconnu tout de suite, ou plutôt *je vous reconnaissais sans le savoir* [2]... »

Alors, brusquement, le Héros se rend compte à nouveau que la vraie Gilberte, la vraie Albertine s'étaient « *au premier instant livrées dans leur regard, l'une devant la haie d'épines roses, l'autre*

1. III, p. 693.
2. III, pp. 693-694.

sur la plage ». Non seulement Tansonville et Guermantes étaient proches, proches les sources de la
Vivonne, mais, ajoute Marcel, « *l'abîme infranchis-
sable que j'avais cru exister entre moi et un certain
genre de petites filles* aux cheveux dorés était aussi
imaginaire que l'abîme de Pascal ». De même,
l'âme d'Albertine s'était toute résumée dans le
regard brillant, rieur, impitoyable qu'elle lui lance
sur la plage de Balbec à sa première apparition.
Et à la fin du *Temps retrouvé*, le Héros, se référant
à certaines insinuations de monsieur de Charlus,
se rappelle certains regards bleus de la duchesse de
Guermantes à Combray. Ces regards lui avaient
jadis semblé des invites ; il les avait ensuite inter-
prétés comme des marques de bienveillance d'une
suzeraine à un vassal. Maintenant, il fait marche
arrière et se demande : « Fallait-il maintenant
croire que *c'était ma première idée qui avait été la
vraie*[1] ? » Mieux que la reconstruction stéréoscopique, l'intuition immédiate capte le secret d'une
femme. Intuition ambiguë d'ailleurs : le sens de
son regard était mal interprété. Gilberte, surveillée
par sa mère (la dame en blanc), Albertine, enfermée
dans son monde de cruelle juvénilité, la duchesse,
éloignée par sa haute position aristocratique,
furent, pourtant, chacune, au premier instant, à
portée de la main et de l'esprit de Marcel.

Aux épiphanies poétiques qui marquent la dernière Matinée du Roman, font donc écho des révélations psychologiques décisives, qui permettent à
Marcel de voir les principaux personnages dans
leur vraie lumière, c'est-à-dire, dans celle de leur

1. III, p. 1023.

apparition originelle, dans la lumière de Combray ou de Balbec. Ainsi la dame mystérieuse en rose rencontrée chez l'oncle Adolphe est recouvrée, à la fin, dans Odette vieillie, maîtresse de Basin de Guermantes, « *rose stérilisée* ». Au bout de son chemin sinueux, comme dans sa promenade nocturne à l'entour de Combray, le Narrateur renoue avec son point de départ. On ne peut éviter de citer ici un texte dont j'ai rapporté seulement la phrase finale. Ce passage, en effet, comme une strette de fugue, résume la plupart des thèmes de la psychologie proustienne :

> « Plus d'une des personnes que cette matinée *réunissait* ou dont elle m'évoquait le souvenir, *me donnait les aspects qu'elle avait tour à tour présentés pour moi,* par les circonstances différentes, *opposées,* d'où elle avait, les unes après les autres, surgi devant moi, faisait ressortir les aspects variés de ma vie, *les différences de perspective,* comme un accident de terrain, colline ou château, qui apparaît tantôt à droite, tantôt à gauche, semble d'abord dominer une forêt, ensuite sortir d'une vallée, et révèle ainsi au voyageur des changements d'orientation et des différences d'altitude dans la route qu'il suit. En remontant de plus en plus haut, je finissais par trouver des images d'une même personne séparées par *un intervalle de temps si long, conservées par des moi si distincts, ayant elles-mêmes des significations si différentes,* que je les omettais d'habitude quand je croyais *embrasser* le cours passé de mes relations avec elles, que j'avais même cessé de penser qu'elles étaient *les mêmes* que j'avais connues autrefois, et qu'il me fallait *le hasard*

d'un éclair d'attention pour les rattacher, comme à une étymologie, à cette signification primitive qu'elles avaient eue pour moi. Mademoiselle Swann me jetait, de l'autre côté de la haie d'épines roses, un regard dont j'avais dû d'ailleurs rétrospectivement retoucher la signification, *qui était de désir.* L'amant de madame Swann, selon la chronique de Combray, me regardait derrière cette même haie d'un air dur qui n'avait pas non plus le sens que je lui avais donné alors, et ayant, d'ailleurs, tellement changé depuis, que je ne l'avais nullement reconnu à Balbec dans le monsieur qui regardait une affiche du Casino, et dont il m'arrivait, une fois tous les dix ans, de me souvenir en me disant : « Mais c'était monsieur de Charlus, déjà, comme c'est curieux ! » Madame de Guermantes au mariage du docteur Percepied, madame Swann en rose chez mon grand oncle... autant d'images que je m'amusais parfois, quand je les retrouvais, *à placer comme frontispice* au seuil de mes relations avec ces différentes personnes, mais qui ne me semblaient en effet qu'une image, *et non déposée en moi par l'être lui-même,* auquel rien ne la reliait plus [1]. »

Il ne s'agit pas de juxtaposition, de surimpression, de vision stéréoscopique, mais d'une ré-affirmation. Répétition (ou retrouvaille) qui mesure une durée (vingt ans), et qui, surtout, énonce *le thème de l'éternel retour.* Le message de la musique de Vinteuil, de l'Ange d'or du campanile, des oiseaux de Saint-Marc : *que tout doit revenir,* se réalise enfin, le cercle se ferme. Les confidences de Gilberte,

1. III, pp. 970-971.

d'Andrée, de Charlus ont offert à Marcel la possibilité, pour employer l'expression de Kleist déjà citée, de « contourner le monde », c'est-à-dire d'obtenir une sorte d'immédiateté mûrie. Albertine sera retrouvée, de la même façon, par une sorte de *redintegratio in statum pristinum* ; son essence primitive a été seulement recouverte par une multitude d'images, oubliée sous leur épaisseur, mais jamais complètement perdue.

Kierkegaard affirme que la répétition est le terme précis par lequel nous cherchons à désigner à l'époque moderne ce que les Grecs visaient à travers la notion de réminiscence. Cependant, il faut tout de suite indiquer que pour le philosophe danois, la répétition est une reprise, par la foi, de notre passé. Chez Proust, la répétition, sur le plan psychologique, est atteinte par un effort d'attention intellectuelle, mais sur le plan poétique, elle est une grâce. De plus, Kierkegaard vise une existence dans le temps, Proust une sensation d'éternel retour.

Ces distinctions faites, il n'en reste pas moins que dans *La Répétition,* Kierkegaard retrace un voyage à Berlin, durant lequel Constantin Constantinus tente de faire surgir, précisément, des répétitions. Dès son arrivée, ce personnage se rend à l'appartement où il avait l'habitude de descendre. Le logement, des fenêtres duquel on peut contempler *deux églises,* est composé de *deux pièces* « absolument pareilles, d'un ameublement identique, comme l'on voit une chambre *reflétée* dans un miroir ». (Inutile de marquer ici l'analogie avec le phénomène de la « correspondance » proustienne.) Mais le propriétaire, entre-temps, s'est marié, et Constantin est obligé de se contenter d'une seule des chambres jumelles. La répétition échoue. Constantin décide alors de se rendre au théâtre de Kœnigstadt pour y retrouver un acteur favori et aussi, espère-t-il, une jeune fille qui l'avait frappé par son charme et qui, jadis, y venait régulièrement chaque soir. Hélas, il ne la rencontre pas, ou, peut-être, pensée plus désolante, ne l'a-t-il pas *reconnue !* Dînant au restaurant où il prenait habituellement ses repas, il voit exactement les mêmes choses, il entend les mêmes plaisanteries ; la répétition a lieu, mais sur la mode comique ; il s'agit plutôt d'une plate réitération qui engendre le rire ou l'ennui, qui ne renouvelle nullement le passé. Constantin essuie échec sur échec. Pour Kierkegaard, en effet, la retrouvaille ne peut se réaliser sur le mode de la sensation ; seul l'acte de foi permet la récupération du passé. La répétition terrestre est pour lui impossible. On lit dans son *Journal* (26 juillet 1839) :

> « Quand nous nous retournons pour saisir la vie qui est derrière nous, cette vie a été vécue, et quelle que soit l'attention vigilante avec laquelle nous l'avons vécue, et si fortement que nous ayons gravé dans notre esprit pour le retour *que ce qui est maintenant à droite sera alors à gauche,* et que tous les tours et retours arrivent suivant cette loi, pourtant cela est souvent très dur de s'y retrouver, parce qu'il y a tant de ces choses qui nous apparaissent *tout autres que ce qu'elles nous semblaient d'abord,* comme on voit continuellement pour les voyages que quand une fois

arrivé au but, on doit refaire le chemin en sens inverse, toute la contrée se montre complètement différente. Et combien plus encore cela doit-il être vrai dans le monde de l'esprit, où il n'y a pas d'autre chose que je puisse saisir que mon moi, et où le tout repose sur la pensée *en tant qu'elle s'explique à elle-même sa pensée* [1]. »

Ce passage semble d'abord consonner parfaitement avec la dernière citation que j'ai tirée du *Temps retrouvé*. Toutefois, pour Proust, la remontée à l'image première peut parfois avoir lieu ; pour Kierkegaard elle ne peut pas être obtenue sur le plan éthique ou psychologique ou poétique. Seule la foi peut renouveler la face du passé perdu, reconquérir une immédiateté seconde, mûrie.

Entre la première image d'Albertine et celle, reconquise à la fin, se situe, nous l'avons vu, le « reste », intervalle où s'étalent toutes les images intermédiaires produites par la sinueuse démarche d'approche du Narrateur. En effet, les descriptions successives de la jeune fille sont exécutées selon le procédé optique ou cinématographique appliqué à l'évocation de Saint-Hilaire. Albertine est perçue d'abord parmi le groupe de ses compagnes, les jeunes filles en fleurs, dont les visages sont comparés à des nébuleuses indifférenciées. Comme dans un film au ralenti, nous assistons à leur différenciation progressive. De loin, d'abord le groupe des jeunes inconnues semble former une « tache », une

1. Jean Wahl, Etudes Kierkegaardiennes, p. 500. La dernière formule, remarquons-le, est platonicienne.

« masse amorphe [1] ». (Marcel avise cependant l'une d'elles qui tient à la main une bicyclette.) Mais l'absence de netteté de la vision de Marcel n'est pas due seulement à son éloignement et à son émotion, il a une cause objective : « ces enfants trop jeunes étaient encore à ce degré élémentaire de formation où la personnalité n'a pas mis son sceau sur chaque visage [2] ». La nébuleuse des visages va lentement donner naissance à des faces de plus en plus reconnaissables, à chaque retrouvaille au bord de la mer. Et c'est sur la plage qu'Albertine apparaît au milieu de ses compagnes, sous une forme désormais inoubliable :

> « C'est ainsi que faisant halte, les yeux brillants sous son « polo », que je la revois encore maintenant, *silhouettée* sur l'écran que lui fait, au fond, la mer, et séparée de moi par un espace transparent et azuré, le temps écoulé depuis lors, *première image,* toute mince dans mon souvenir, *désirée,* poursuivie, *puis oubliée, puis retrouvée* [3]... »

Plus loin encore, Marcel apercevra Albertine habillée de la même façon, de la fenêtre de l'atelier d'Elstir. Cependant, l'amitié amoureuse éprouvée pour la jeune apparition ne cristallisera que lentement. Le potentiel affectif de Marcel s'est d'abord diffusé sur le groupe, il ne se concentrera sur Albertine que par étapes. Marcel approchera enfin Albertine chez le peintre, à l'occasion d'une matinée :

> « Quand j'arrivai chez Elstir, un peu plus

1. I, p. 823.
2. *Id.*
3. I, p. 829 — l'azur n'est-il pas la distance devenue couleur ?

tard, je crus d'abord que mademoiselle Simonet n'était pas dans l'atelier. Il y avait bien une jeune fille assise, en robe de soie, nu-tête, mais de laquelle je ne connaissais pas la magnifique chevelure, ni le nez, ni ce teint, et *où je ne retrouvais pas l'entité que j'avais extraite* d'une jeune cycliste se promenant, coiffée d'un polo, le long de la mer. *C'était pourtant Albertine*[1]. »

Cette réunion sociale lui permet de la détailler plus nettement, d'admirer sa magnifique chevelure, son teint. Peu à peu, ils lieront connaissance, si bien que la préférence amoureuse sera de plus en plus marquée, jusqu'à devenir exclusive. La progression n'est pas continue, mais conformément à la technique proustienne, elle a lieu par étapes successives.

A la fin de leur séjour, à Balbec, se produit un incident capital qui marque la fin du « travelling » cinématographique : la « caméra » va nous présenter le visage d'Albertine en gros plan. En effet, la jeune fille passe une nuit au Grand Hôtel, le Narrateur la rejoint dans sa chambre et tente de lui dérober un baiser. Il se penche alors sur la face d'Albertine, ronde et rose comme la lune à l'horizon et la voit prendre un tel relief qu'elle semble imiter « la rotation d'une sphère ardente[2] ».

1. I, pp. 870-871.
2. L'image ou schème dynamique de *la sphère ardente et tournante* renvoie à un passage précédent, celui des dîners à Rivebelle (I, p. 808 et ss.) : schème directeur qui régit aussi bien la description de l'ivresse due à l'alcool que celle due au désir, ivresse qui intensifie et irise un présent vertigineux, sans passé ni futur, qui « réalise pour quelques heures l'idéalisme subjectif, le phénoménisme pur ; tout n'est plus qu'apparences » (I, p. 816). (L'image

« J'allais savoir, dit-il, l'odeur, le goût, qu'avait *ce fruit rose inconnu.* » Mais Albertine refuse le baiser et sonne la chambrière.

La prise de vue en gros plan se répétera beaucoup plus tard, dans une scène inverse et symétrique (*Le Côté de Guermantes*) : Albertine se trouve dans la chambre de Marcel et elle se penche sur lui. Enfin, se dit-il, « je vais savoir le goût de la rose inconnue ». Ici le gros plan diversifie *dix*

astronomique se retrouve d'ailleurs pour décrire la dernière Matinée de Guermantes ; dans une note en marge du manuscrit et qui a trait elle-même à un béquet marginal, cf. III, p. 1030, on lit : « Remettre ces quelques lignes plutôt au moment des étoiles *et quand cette fête est une horloge astronomique.* » Cf. Notes et Variantes, III, p. 1147.)

Ce schème dynamique vivifie comme un courant souterrain les deux descriptions. Ainsi à Rivebelle, le spectacle des dîneurs, activé par l'empressement des garçons (décrits comme les Guermantes en métaphores ornithologiques) équivaut, aux yeux du Narrateur enivré, au cosmos lui-même : « Toute cette activité vertigineuse se fixait en une calme harmonie. Je regardais *les tables rondes* dont *l'assemblée innombrable* emplissaient le restaurant, comme autant de *planètes...* D'ailleurs une *force d'attraction* irrésistible s'exerçait entre ces *astres* divers... l'harmonie de ces tables astrales n'empêchait pas l'*incessante révolution* des *servants innombrables...* » (I, p. 810.) Et plus loin : « ... si les convives... avaient été retenus dans une cohésion parfaite autour de leur propre table, la *force attractive* qui les faisait *graviter* autour de leur amphitryon... perdait de sa puissance au moment où... » (I, p. 813).

De même, de la fenêtre ouverte de la chambre d'Albertine, Marcel voit la lune et les seins bombés des falaises de Maineville. Les *globes* de ses propres prunelles, leur *orbe* ne se trouve plus « suffisamment rempli par la *sphère* même de l'horizon » (I, p. 933). Il y éprouve un identique sentiment d'idéalisme subjectif. Enfin : « le visage *rond* d'Albertine, éclairé d'un feu intérieur », comme une veilleuse, une seconde *lune* « prenait pour moi un tel relief qu'imitant la *rotation d'une sphère ardente,* il me semblait tourner, *telles ces figures de Michel-Ange qu'emporte un immobile et vertigineux tourbillon.* » (I, p. 934).

aspects différents d'Albertine dans le court trajet de ses lèvres à sa joue ; il fait sortir le visage de son « cadre lointain », l'amène sur un « plan nouveau » qui met en relief le gros grain de sa peau ; le cou, « aperçu *de plus près et comme à la loupe* », montre une robustesse qui modifie le caractère de la figure. La jeune fille est comparée à une déesse à plusieurs têtes [1]. Enfin, il ne voit plus rien, son visage s'écrasant sur celui d'Albertine. L'appareil de prise de vue, comme dans les descriptions mobiles de Saint-Hilaire et des clochers de Martinville, multiplie les points de vue, puis les supprime. Le baiser est d'ailleurs comparé à des points de perspective :

> « Les dernières applications de la photographie — qui couchent aux pieds d'une cathédrale toutes les maisons qui nous parurent si souvent, de près, presque aussi hautes que les tours, *font successivement manœuvrer comme un régiment, par files, en ordre dispersé, en masses serrées, les mêmes monuments,* rapprochent l'une contre l'autre les deux colonnes de la Piazzetta tout à l'heure si distantes, éloignent la proche Salute et dans un fond pâle et dégradé réussissent à faire tenir un horizon immense sous l'arche d'un pont, dans l'embrasure d'une fenêtre, entre les feuilles d'un arbre situé au premier plan et d'un ton plus vigoureux, *donnent successivement pour cadre* à une même église les arcades de toutes les autres —, je ne vois que

---

1. Proust écrit : « Le visage humain est vraiment comme celui du Dieu d'une théogonie orientale, toute une grappe de visages juxtaposés dans *des plans différents et qu'on ne voit pas à la fois.* »

cela qui puisse, autant que le baiser, faire surgir de ce que nous croyions une chose *à aspect
défini, les cent autres choses qu'elle est tout
aussi bien, puisque chacune est relative à une
perspective non moins légitime.* Bref, de
même qu'à Balbec, Albertine m'avait souvent
paru différente, maintenant — comme si, *en
accélérant prodigieusement la rapidité des
changements de perspective* et des changements de coloration que nous offre une personne dans nos diverses rencontres avec elle,
*j'avais voulu les faire tenir toutes en quelques
secondes pour recréer expérimentalement le
phénomène qui diversifie l'individualité d'un
être* et tirer les unes des autres, comme d'un
étui, *toutes les possibilités qu'il enferme* —
dans ce court trajet de mes lèvres vers sa joue,
c'est *dix Albertines* que je vis ; cette seule
jeune fille étant comme une déesse à plusieurs
têtes, celle que j'avais vue en dernier, si je ten-
tais de m'approcher d'elle, faisait place à une
autre [1]. »

Au ralenti des épisodes précédents, subitement
succède une prodigieuse accélération, laquelle
résume les métamorphoses, passées ou futures
d'Albertine. Déjà, lors de la matinée dans l'atelier
d'Elstir, le Narrateur avait eu recours à sa métaphore favorite :

« Les qualités et les défauts qu'un être présente *disposés au premier* plan de son visage
se rangent *selon une formation tout autre* si
nous l'abordons par un côté différent, *comme
dans une ville* les monuments répandus en
ordre dispersé sur une seule ligne, d'un autre

1. II, pp. 364-365.

point de vue s'échelonnent en profondeur et échangent leurs grandeurs relatives [1]. »

Albertine prendra toutes les formes, tous les visages de la féminité, elle sera l'être contradictoire par excellence. Et d'une apparition, d'un cliché, d'un profil à l'autre, il n'y aura ni continuité, ni progrès. Le Narrateur s'en aperçoit très tôt :

> « Et puis comme la mémoire commence tout de suite à prendre *des clichés indépendants* les uns des autres, supprime tout lien, *tout progrès,* entre les scènes qui y sont figurées, dans la collection de ceux qu'elle expose, le dernier ne détruit pas forcément les précédents. En face de la médiocre et touchante Albertine à qui j'avais parlé, je voyais *la mystérieuse Albertine en face de la mer.* C'était maintenant des souvenirs, c'est-à-dire des tableaux dont *l'un ne me semblait pas plus vrai que l'autre* [2]. »

Ainsi donc, la disparité des aspects, loin de permettre, par le jeu des contrastes, une reconstitution de l'être d'Albertine (comme cela semble possible au Narrateur énumérant les différents aspects de Saint-Loup), empêche Marcel d'atteindre son essence. Et, dans *La Fugitive,* au moment où il apprend sa mort, il exhale ce regret : « Grande faiblesse sans doute pour un être, de consister *en une simple collection de moments...* ».

L'émiettement multiplie l'être, mais il ne nous livre pas son noyau. Il semble d'ailleurs parfois que Proust soit atteint d'un total agnosticisme psycholo-

---

1. I, pp. 873-874.
2. I, pp. 875-876.

gique : sa pensée balance entre une négation et une affirmation absolues. Confrontons par exemple tel texte de *A l'ombre des jeunes filles en fleurs* et le passage correspondant du Manuscrit autographe : nous prendrons, pour ainsi dire, son ambiguïté sur le fait. Marcel compare la sage jeune fille de la Matinée chez Elstir, à la « bacchante à bicyclette », à « la muse orgiaque du golf », et se dit :

> « Ainsi ce n'est qu'après avoir reconnu, non sans tâtonnements, les erreurs d'optique du début qu'on pourrait arriver *à la connaissance exacte d'un être si cette connaissance était possible. Mais elle ne l'est pas ;* car tandis que se rectifie la vision que nous avons de lui, lui-même, qui n'est pas un objectif inerte, change pour son compte, nous pensons le rattraper, il se déplace, et, croyant le voir enfin plus clairement, ce n'est que les images anciennes que nous en avions prises que nous avons réussi à éclaircir, mais qui ne le représentent plus [1]. »

Dans le Manuscrit autographe, Marcel (ou Proust) déclare, au contraire [2] :

> « Déjà la Muse orgiaque du golf et de la bicyclette qu'Albertine m'avait apparu d'abord quand je la voyais flotter et claquer brillante et souple devant moi comme un drapeau d'un pays inconnu où il est vraiment trop difficile de donner un équivalent rationnel précis aux quelques couleurs gracieusement *juxtaposées* qui s'offrent aux yeux, avait fait place à une jeune fille bien élevée, comme il faut et plutôt sévère. Mais ce n'était *qu'une seconde vue,* et il y en avait sans doute d'autres par les-

1. I, p. 874.
2. I, p. 985.

quelles je devais passer AVANT D'ATTEINDRE L'ÊTRE LUI-MÊME [1]. »

L'essence se manifeste-t-elle donc à l'origine, ou à la fin de l'enquête, ou nulle part ? Proust hésite, se contredit, ne nous permet pas de décider. Tout ce que nous pouvons dire, c'est que l'effritement qu'il note n'est pas dû seulement à un point de vue perspectiviste, il tient à trois causes, dont deux sont objectives : 1° au temps qui creuse des intervalles entre deux visions successives ; 2° aux métamorphoses psychologiques de l'observateur qui transforment *subjectivement* la signification des « clichés » ; 3° à l'évolution de la personne observée qui change *objectivement* cette signification. De toute façon, cet être en morceaux ne paraît pouvoir être reconstitué par aucun des procédés optiques énumérés dans le chapitre précédent. Et la jalousie, thème permanent qui court à travers *La Prisonnière* et *La Fugitive,* bien loin d'augmenter la netteté de la vision, ne fera qu'ajouter au désarroi du Narrateur. Récupère-t-il la véritable Albertine autrement que dans la « première apparence » ? Oui, par la douleur causée par sa fuite et sa mort, oui, par l'art.

La Fugitive s'ouvre sur une reprise mélodique des mots de la porteuse de mauvaises nouvelles, Françoise : « Mademoiselle Albertine est partie !

1. I, p. 985.

Comme la souffrance va plus loin en psychologie que la psychologie [1] ! » La souffrance va plus loin aussi que l'imagination, qui ne s'étant pas perfectionnée comme les inventions techniques, tels le ballon ou le téléphone, ne nous permet de voir « que fort peu de choses à la fois [2] ». La souffrance offre *un point de vue dominant* qui permet de mesurer l'amour et l'être aimé. Proust reprend ici deux de ses métaphores préférées. Il nous dit d'abord que :

> « ... *ce n'est pas d'en bas,* dans le tumulte de la rue et la cohue des maisons avoisinantes, *c'est quand on s'est éloigné que, des pentes d'un coteau voisin,* à une distance où toute la ville a disparu ou ne forme plus au ras de terre qu'un amas confus, on peut, dans le recueillement de la solitude et du soir, *évaluer, unique, persistante* et pure, la hauteur d'une cathédrale. Je tâchais *d'embrasser* l'image d'Albertine à travers mes larmes en pensant à toutes les choses sérieuses et justes qu'elle avait dites ce soir-là [3]. »

La douleur, plus que le souvenir, ou le clocher de Saint-Hilaire ou le Jardin de la Raspelière, fournit un observatoire privilégié. Recourant, une troisième fois, à la métaphore du circuit et de la petite porte, le Narrateur ajoute que la souffrance ouvre aussi des portes de communication sur des aspects insoupçonnés d'un être [4] ; elle nous dévoile l'existence et la résistance de l'Autre.

1. III, p. 419.
2. III, p. 491.
3. III, pp. 493-494.
4. III, p. 494.

La dernière partie de *La Fugitive,* et même les deux derniers volumes de la *Recherche,* sont truffés de méditations semi-didactiques, semi-lyriques sur la douleur et son pouvoir d'*approfondissement.* Car c'est par elle, et aussi par la résignation qu'elle entraîne, que le Narrateur va réellement transformer les images d'Albertine, plus exactement, transformer son point de vue, dépasser les jeux optiques, considérer la jeune fille comme un être réel, une personne, penser à elle non plus en photographe, en cinéaste, en policier-amateur, en jaloux, en tyran, mais en poète.

En effet, les vues en gros plan, multipliant des profils, submergeaient le pouvoir de compréhension sympathique de Marcel. Il avait beau posséder Albertine par le regard, par tous les sens, la maintenir prisonnière chez lui ; elle lui échappait sans cesse, par sa face d'ombre, sa vie secrète, son mystère. Albertine, disparue dans la mort, va s'éloigner d'abord, puis revenir, comme une personne réelle, mais aussi comme une déesse invoquée, comme l'Idée même de la Femme, de l'Amour et de la Jeunesse. Il y aura donc de la part du Narrateur, résignation, sublimation et généralisation. Et, en effet, si le lecteur pense à Albertine comme à un être typiquement féminin, avec ses joues roses à gros grain, son polo, son manteau de pluie qui comprime ses formes généreuses, pour le Narrateur, au contraire, elle va se fondre dans un ensemble plus général, grâce à la transposition imaginaire. C'est aussi que la douleur particulière, attachée à un seul être, la passion égoïste et jalouse, transformée par l'effort artistique du Narrateur, se sublimera dans un mythe. Albertine apparaîtra finalement comme la grande déesse du Temps et aussi comme la Muse. L'activité esthétique permet donc aussi, chez Proust, la retrouvaille, non plus d'une seule image primitive, mais d'une personne — qui d'ailleurs va s'impersonnaliser de nouveau dans le mythe. L'art joue donc pour lui le rôle qui est celui de la foi pour Kierkegaard. Chez ce dernier, d'ailleurs, la résignation et la foi s'accomplissent simultanément, par un paradoxe incompréhensible : il s'agit d'être à la fois tout entier désir et tout entier renoncement, tandis que Proust parle seulement de désirer sans espérer. Dans *Crainte et Tremblement*, Kierkegaard espère que Dieu puisse arrêter le temps. Jean Wahl, résumant le contenu de ce livre dans une sorte de prière qu'il met dans la bouche du philosophe, lui fait dire :

> « Que Dieu... permette l'impossible, à savoir que cette jeune fille (Régine) *telle que je l'ai vue pour la première fois* soit celle que j'épouse, et que moi-même je reste tel que j'ai été, assez jeune pour désirer après avoir renoncé, assez jeune pour retrouver sans cesse la fraîcheur du premier moment... Le « recommencement » n'était pas possible sur le plan esthétique ; je ne puis revenir en arrière pour retrouver mes impressions premières. Mais Dieu ne peut-il réaliser l'impossible, me redonner, grâce à ma foi même en son miracle à venir, le passé avec sa naïveté première [1]... ? »

C'est au contraire au moment où Marcel se change

---

1. Jean Wahl, *Etudes kierkegaardiennes*, p. 202.

en poète de la mémoire, qu'il invoque Albertine disparue à jamais, qu'il la retrouve, du moins temporairement. La personne, qui se défait sous l'œil de mouche à mille facettes de l'analyse, répondra peut-être à une invocation. Elle n'est plus un message qu'on déchiffre peu à peu : mais un visage qu'on lit immédiatement, sans passer par aucun raisonnement inductif.

On a reproché à Proust de n'avoir eu ni le sens de la personne ni celui de la communication entre les personnes. C'est pourquoi, a-t-on dit, ses personnages n'atteignent jamais à cette *troisième dimension* qu'il tente presque désespérément de leur conférer. Et, en effet, le Héros proustien est un être qui atteint avec difficulté à l'immédiat et à l'unité. Il lui faut exécuter un double effort pour capter l'apparence première et pour recomposer des profils épars, des notions contradictoires, des lieux sans communication, des états intérieurs intermittents. Cependant, Proust ne nie pas l'existence de la personne, il montre seulement qu'elle se dérobe à la prise, que le malentendu menace toujours la communication. (N'oublions pas que le mot même de « personne » veut dire masque, comme celui de « doxa » signifie à la fois opinion, puis apparence pure et simple, mais aussi « gloire », manifestation lumineuse d'une essence). Cependant, si Albertine nous semble posséder l'existence d'une personne — une personne qui a eu un destin tragique — nous éprouvons quelque difficulté à imaginer son caractère. Peut-être parce qu'elle n'en a pas. Déjà dans *A l'ombre des jeunes filles en fleurs,* Proust semble se justifier de cette absence, et lui attribuer une valeur positive. Le Narrateur remarque qu'Albertine a quelque chose de « la Gilberte des premiers temps[1] ». Ces ressemblances[2] s'expliquent par le choix toujours identique de l'amoureux : celui d'une femme qui lui soit à la fois opposée et complémentaire, un « négatif » de sa sensibilité. Aussi un romancier dirait une vérité neuve, peignant semblables les successives amours de son Héros. Il ajoute : « Et peut-être exprimerait-il encore une vérité de plus si, peignant pour ses autres personnages des caractères, il s'abstenait d'en donner aucun à la femme aimée. Nous connaissons le caractère des indifférents, comment pourrions-nous saisir celui d'un être qui se confond avec notre vie... ? » Tantôt trop proche, tantôt trop lointaine, tantôt pure image, tantôt mythe, belle statue sans caractère ou fée fuyante aux mille profils, Albertine poursuit ses métamorphoses, énigme même de la Jeunesse, fraîche, rose, vive, gaie, belle, capricieuse, insaisissable. Le « hasard d'un éclair d'attention », l'approfondissement de la douleur, la sublimation de l'art permettent pourtant à Marcel, mais d'une façon précaire, de l'invoquer comme une personne au lieu de la contempler comme un spectacle. Toutefois, sur le plan psychologique, comme sur le plan poétique, la répétition est un phénomène trop rare, une plate-forme

1. I, p. 894.
2. Kierkegaard parle de la quête d'un être qui ressemble à un autre être, d'un autre ensuite qui ressemble au second, et ainsi à l'infini. Il écrit : « Tout au long de la vie, on s'occupe toujours de la même chose, on ne fait pas de progrès, *mais plutôt des retours en arrière.* »

trop étroite pour que le romancier puisse reconstruire solidement sur elle tout un être. Il n'en reste
pas moins que le rapport établi entre les deux
« éclairs », celui de l'attention et celui de la réminiscence, permet de voir en Proust un nouveau type
de romancier, un psychologue poète que ses personnages, toujours encadrés de paysages, profilés sur
des fonds, intéressent plus par l'allégorie qu'ils
incarnent que par la courbe dramatique de leur
destin ou par les intrigues qu'ils peuvent nouer
entre eux. Finalement l'idée d'essence demeure
ambiguë, quand il s'agit d'une personne. Les êtres
aimés ne sont que l'incarnation fragile d'une seule
essence diffractée, qui gouverne l'expérience de
l'amour et déborde autant l'aimée qu'elle échappe
à l'amant.

IX

PERSPECTIVES SUR D'AUTRES PERSONNAGES

Bien que la démarche de Proust, dans l'approche descriptive d'un personnage, soit aussi reconnaissable qu'une allure physique ou qu'une écriture de peintre, son point de vue change pour chaque être. De Legrandin, il ne nous propose guère que des silhouettes ; par contre, trop proche de sa grand-mère, Marcel ne la voit plus. Trop loin ou trop près de ses personnages, Proust éprouve toujours une certaine difficulté d'accommodation optique. Il refuse d'ailleurs la vision *moyenne* qui lui permettrait d'épouser la banale continuité d'une vie où les contrastes, provoqués par les intermittences de la mémoire, s'estomperaient. Nous l'avons relevé déjà, le Narrateur renonce plus d'une fois à dessiner le caractère d'Albertine, parce que selon lui seul le caractère des indifférents peut se résumer en un type, parce que l'aimée se confond avec la vie de l'amant. Parlant de sa grand-mère, Marcel s'exclame : « ... Moi qui ne l'avais jamais vue que dans mon âme, *toujours à la même place du passé.* » Une fois pourtant, il lui arrive de la considérer avec indifférence ou objectivité (ce qui revient au même), durant un court instant, lors de son retour de Doncières ; *la durée d'un éclair,* il n'est plus qu'un œil, un étranger sans affection, un photographe :

> « De moi — par ce privilège qui ne dure pas et où nous avons, pendant le court instant du retour, *la faculté d'assister brusquement à notre propre absence* [1] — il n'y avait là que le témoin, l'observateur, en chapeau et manteau de voyage, *l'étranger qui n'est pas de la maison,* le photographe qui vient prendre un cliché des lieux qu'on ne reverra plus. Ce qui, mécaniquement, se fit à ce moment dans mes yeux quand j'aperçus ma grand-mère, *ce fut bien une photographie* [2]. »

L'amour refuse l'immédiateté, l'immobilité de l'image. La tendresse, nous dit Proust, est un mouvement perpétuel qui sans cesse essaie de faire coïncider les images avec un archétype, une idée première. Le cliché photographique au contraire se réduit, comme la matière pour Leibniz, à un esprit instantané. C'est ainsi que dans la scène où Saint-Loup gifle un inconnu à la sortie d'un théâtre, le Narrateur ne voit pas les poings de son ami, mais un ensemble décoratif de sept corps ovoïdes. Dans la cour de l'Institut [3], l'œil photographique ne reconnaît pas un académicien qui veut appeler un fiacre, mais *une figure abstraite de sa titubation,* « la parabole de sa chute ». Tout à coup, dans le salon familial, nous dit Marcel :

> « ... qui faisait partie d'un monde nouveau,

1. Faculté essentielle d'Octave dans *Roberte ce soir* de Pierre Klossovski.
2. II, p. 140.
3. II, p. 141.

celui du temps, celui où vivent les étrangers dont on dit « il vieillit bien », pour la première fois et *seulement pour un instant,* car elle disparut bien vite, j'aperçus sur le canapé, sous la lampe, rouge et vulgaire, malade, rêvassant, promenant au-dessus d'un livre des yeux un peu fous, une vieille femme accablée que *je ne connaissais pas* [1]. »

Bien que Swann se rattache aussi à l'enfance profonde du Héros, au tuf de Combray, au monde des archétypes, il sera par exception équitablement présenté du dehors, saisi du dedans. *Un amour de Swann* est un récit traditionnel fait par un Romancier omniscient. Mais le portrait du personnage est parachevé par une multitude d'éclairages latéraux (Swann vu par Marcel, par les parents de Marcel, par les Verdurin, les Guermantes, plus loin, dans un passage du *Journal des Goncourt,* etc.). Le Narrateur dira : « Il y a eu plusieurs Swann. » En effet, comme Albertine, Swann est un être de métamorphoses :

> « Comme certains israélites, l'ancien ami de mes parents avait pu présenter *tour à tour* les états successifs de sa race, depuis le snobisme le plus naïf et la plus grossière goujaterie jusqu'à la plus fine politesse [2]. »

Même après sa mort, le souvenir de Swann, selon le point de vue des gens qui l'évoqueront, va continuer à se transformer et donnera lieu à des erreurs

1. II, p. 141.
2. I, p. 432.

d'interprétation. Et bien qu'il meure au milieu du Roman, son influence, comme mentor et prophète, ne cessera pas de s'exercer jusqu'au bout. Le Roman se clôt en effet sur l'évocation du tintement de la sonnette de la porte du jardin de Combray, qui annonçait, aux premières pages, la première entrée de Swann dans le monde de Marcel. Car c'est d'abord en « ami » de la famille qu'il y pénètre. L'ignorance des membres de cette famille, qui ne soupçonnent rien de l'homme élégant et du connaisseur, donne lieu à des malentendus piquants [1]. Pour eux, Swann demeure le « fils Swann » dont le père, agent de change israélite [2] a été l'ami du grand-père du Narrateur. Swann retrouvera, au moment de sa rupture avec Odette, cette « personnalité » oubliée de « fils Swann », distincte de sa personnalité « plus individuelle » de Charles Swann [3], par un mouvement de régression typique après un abandon, vers un passé dont il se sent tout à coup l'héritier. Le Swann de Combray, bourgeois mésallié, avec son nez busqué, ses yeux verts, ses cheveux blond-roux, sa haute taille, est un « être fragmentaire ». Son histoire va être redessinée, à partir d'une perspective toute différente, par une remontée vers son passé.

Dans *Un amour de Swann,* il devient le personnage central d'une narration à la troisième personne. Une nouvelle personnalité swannienne surgit : celle de l'amant. Swann réapparaît (douze ans

---

1. « Les gens que l'on connaît sont aussi ceux que l'on ne connaît pas. »
2. Le père de Swann est d'ailleurs un « double » de son fils, à bien des égards. Cf. I, pp. 34, 242, 268, 347, 358, 378.
3. I, p. 310.

environ après la fin de sa passion pour Odette) dans la troisième partie de *Du côté de chez Swann*. (*Noms de pays : le Nom*). Accompagnant sa fille aux Champs-Elysées, il incarne alors, aux yeux du Narrateur adolescent, le rôle jupitérien de père de Gilberte :

> « ... depuis que j'avais revu Gilberte, pour moi Swann était surtout son père, et non plus le Swann de Combray ; comme les idées sur lesquelles *j'embranchais* maintenant son nom étaient différentes des idées dans *le réseau* desquelles il était autrefois compris et que je n'utilisais plus jamais quand j'avais à penser à lui, il était devenu un personnage nouveau ; je le rattachai pourtant *par une ligne* artificielle, *secondaire et transversale* à notre invité d'autrefois [1]. »

(Notons ici la métaphore proustienne favorite du réseau de communication).

Au début de *A l'ombre des jeunes filles en fleurs*, un quatrième Swann se manifeste, décrit par monsieur de Norpois :

> « ... il était arrivé qu'au « fils Swann » et aussi au Swann de Jockey, l'ancien ami de mes parents avait ajouté *une personnalité nouvelle* (et qui ne devait pas être la dernière), *celle de mari d'Odette* [2]. »

Mésallié, il s'est, de plus, déclassé ; lui, jadis si discret quant à ses fréquentations princières, se vante maintenant de fréquenter des sous-chefs de cabinets ministériels. Aux yeux du père de Marcel, il n'est plus qu'un vulgaire esbroufeur. Un chassé-

1. I, p. 407.
2. I, p. 432.

croisé comique s'est opéré entre Swann et Cottard.
(Le Cottard lourdaud du milieu Verdurin, tel qu'il
est peint dans *Un amour de Swann,* avait lui aussi
changé, mais en sens inverse, le succès profession-
nel lui ayant donné l'assurance et la réserve). De
plus, la personnalité « mari d'Odette » n'a gardé
que fort peu d'éléments de la personnalité « amant
d'Odette ». Seul, le souvenir du jour où Swann était
arrivé à l'improviste chez elle, vers le milieu de
l'après-midi, le hante encore parfois. Cette heure
du « passé perdu » (que Swann, lui, à la différence
du Narrateur, ne récupérera jamais) « avait seule
fixé quelques dernières parcelles de *la personnalité
amoureuse* que Swann avait eue autrefois et qu'il
ne retrouvait plus que là [1] ». C'est d'ailleurs dans
la seconde version de ce livre que Proust a inséré
des rappels de la jalousie de l'amant, avec l'intention déterminée de maintenir une certaine continuité, de donner aussi plus de relief à cette phrase
trop calme du récit [2]. Après *Du côté de chez Swann,*
le Narrateur perd Charles de vue. Il ne le retrouve
qu'au cours de la visite qu'il fait au duc de Guermantes, le jour même de la soirée chez la princesse de Guermantes. Il le découvre très changé
physiquement par la maladie, transformé morale-
ment par une conversion politique ; seule son
élégance maintient un trait d'union entre le Swann
du présent et le Swann du passé :

    « Swann était habillé avec une élégance

1. I, p. 524. Il y a incertitude pour l'heure : à trois
heures (p. 279), à cinq heures (p. 283), à six heures
(p. 524) !
2. Cf. Feuillerat, *Comment Marcel Proust a composé son
Roman.*

qui, comme celle de sa femme, *associait à ce qu'il était ce qu'il avait été* [1]. »

Swann admire maintenant Clemenceau, affiche un dreyfusisme intransigeant et courageux. Marcel le retrouvera, quelques heures plus tard, à la soirée de la princesse de Guermantes.

L'après-midi et la soirée de ce jour-là constituent l'une des plaques tournantes du Roman. C'est en allant chez le duc l'après-midi que le Narrateur est témoin de la conjonction Charlus-Jupien qui lui révèle le secret du baron. D'autre part, la Soirée chez la princesse de Guermantes marque le point culminant de la carrière mondaine du Narrateur. Au cours de cette réunion, Swann apparaît pour la dernière fois en public ; il n'a plus que quelques mois à vivre. Nous assistons à une sorte de passation des pouvoirs. Il va être remplacé dans son rôle de *témoin* par le baron de Charlus, lequel préside à la Cérémonie mondaine dans toute sa splendeur vestimentaire et sa hauteur féodale. (Il a l'air, nous dit-on, d'une « Harmonie » noir, blanc et rouge de Whistler.)

Le Narrateur s'effare à nouveau du terrible vieillissement de Swann. Après avoir parcouru toutes les étapes de sa vie, celui-ci est redevenu un israélite, le fils de Swann l'agent de change. Il a bouclé la boucle. Et le Narrateur ajoute, non sans un humour quelque peu noir :

« Il est certains isréalites, très fins, pourtant, et mondains délicats, chez lesquels restent en réserve et *dans la coulisse* [2], afin de faire leur

1. II, p. 579.
2. A remarquer les métaphores théâtrales.

> *rentrée* à une heure donnée de leur vie,
> *comme dans une pièce,* un mufle et un pro-
> phète. Swann était arrivé à l'âge du pro-
> phète. »

Cette remarque nous intéresse à plus d'un titre.
D'abord elle nous fait songer que la technique
proustienne qui consiste à nous présenter un personnage jouant tantôt un rôle principal, tantôt de
comparse, à le mettre à l'avant de la scène, à le reti-
rer vers le fond, à lui faire opérer des sorties et des
rentrées, s'avère très proche de la technique théâtrale. Ensuite elle attire notre attention sur certaines confidences que fait Swann au Narrateur
durant cette soirée et qui sont, en effet, *prophé-
tiques.* Swann prédit à ce dernier les souffrances
de la jalousie. A un degré faible, lui dit-il, elle n'est
pas désagréable, elle permet d'aiguiser la curiosité,
de s'intéresser puissamment à la vie des autres
gens. Néanmoins, Charles n'a pas su en goûter la
saveur amère, *par la faute,* avoua-t-il (et ce jugement sur soi est sévère), « *de ma nature qui n'est
pas capable de réflexions très prolongées*[1] ». A
un degré fort, conclut-il, la jalousie est le plus
affreux des supplices. Il confie au Narrateur :

> « Moi, je n'ai jamais été curieux, sauf quand
> « j'ai été amoureux et quand j'ai été jaloux.
> « Et pour ce que cela m'a appris ! Etes-vous
> « jaloux ? » Je disais à Swann que je n'avais
> jamais éprouvé de jalousie, *que je ne savais
> même pas ce que c'était.* »

Cette confession de Swann nous révèle un homme
très conscient de l'échec de sa vie et, par cela même,

1. II, p. 703.

elle nous émeut. Cet échec, il l'impute, bien sûr, à
son amateurisme. Mais aussi aux femmes qu'il a
connues et qui laissent à ce viveur bien peu
d'attrayants souvenirs. Il dit encore :

> « J'ai beaucoup aimé la vie et j'ai beaucoup
> aimé les arts... Je m'ouvre à moi-même mon
> cœur comme *une espèce de vitrine,* je regarde
> un à un tant d'amours que les autres n'auront
> pas connus. »

Jusqu'à la fin donc, Swann demeurera un collectionneur, et non un artiste. Collectionneur de
tableaux, de sentiments, de femmes, de succès mondains ; il n'a pas su choisir. (On se rappellera
l'aphorisme de Max Jacob : le bibelotage est
le contraire de l'amour.) Il a raté sa vie ; il va
emporter dans le tombeau ses souvenirs, ses précieux sentiments personnels. Il meurt, en quelque
sorte, derrière la coulisse. Cependant sa figure
continue à subir divers éclairages latéraux ;
des épisodes de sa vie prendront encore un relief
inattendu. Au début de la soirée-concert chez
les Verdurin, dans un des passages les plus cruels
du livre, une confidence de monsieur de Charlus
jette une lumière crue et décisive sur les dé-
buts de la passion de Swann pour Odette. Charlus
déclare :

> « Et les amants qu'avait eus successivement
> Odette (elle avait été avec un tel, puis avec un
> tel), ces amants, monsieur de Charlus se mit
> à les énumérer avec autant de certitude que
> s'il avait récité la liste des rois de France. Et

en effet le jaloux est, comme les contemporains, trop près, il ne sait rien, et c'est pour
les étrangers que la chronique des adultères
prend la précision de l'histoire et s'allonge en
listes, d'ailleurs indifférentes, et qui ne deviennent tristes que pour un autre jaloux, *comme
j'étais* [1]... »

(Ce passage, où se trouve le don de metteur en
scène de Proust, don qui passe inaperçu en raison
du mode non dramatique du récit, est cruel, mais
aussi vaudevillesque : au même moment monsieur Verdurin est en train de faire des confidences
sur monsieur de Charlus à Morel épouvanté, confidences qui vont susciter l'expulsion du baron :
nouveau chassé-croisé !)

Enfin, la société ayant changé de figure à la fin
du Roman, le souvenir du Swann brillant et mondain s'est estompé. Les malentendus du début
(quand à Combray, par exemple, la grand-tante du
Narrateur ne pouvait croire que Swann fréquen-
tât des princesses) récidivent. Lors de la dernière
matinée du *Temps retrouvé,* un jeune seigneur
anonyme déclare froidement qu'Odette avait
d'abord épousé un aventurier du nom de Swann,
puis un des hommes les plus en vue de la société,
le comte de Forcheville. Même sa fille Gilberte,
en manière de reniement posthume, porte finalement le nom de son ancien et vulgaire rival :
Forcheville.

Pourtant, la personnalité de Swann, après avoir
parcouru le cercle des métamorphoses, reprend, au
seuil de la mort, sa forme originelle. On dirait qu'il
tente d'imposer, en dernière extrémité, à la molle

1. III, p. 300. Le Narrateur est devenu jaloux.

cire de son existence, un cachet d'authenticité qui la justifierait. Et cela par un retour à sa race et à des opinions politiques généreuses et aussi par un retour sur lui-même. Hélas ! le Narrateur ne lui laisse même pas le bénéfice de cette triple tentative de rénovation. Il dit à ce propos : « Le dreyfusisme avait donné à sa façon de voir une impulsion, un déraillement plus notable encore que n'avait fait autrefois son mariage avec Odette. » Il critique impitoyablement la déviation que ses nouvelles opinions politiques impriment à son jugement littéraire. Le courage même ne sauvera pas Swann ! Virant simplement de bord, il demeure un homme de parti, dans le sens anglais du mot « party », réunion mondaine et clan politique. Quant à son examen final de conscience, nous l'avons vu, il le conclut par quelques maximes de collectionneur désabusé.

Maintenant, si le lecteur entreprend de disposer en panorama tous les clichés qui lui furent proposés, il va s'apercevoir qu'en dépit du disparate, et grâce à une idée clé, il va être à même de concevoir l'unité de la personne de Charles Swann. Comme son père fut un agent de change, Swann est un « agent de liaison [1] » entre les trois mondes de l'esprit, de la société, et de l'amour. Il ira de l'un à l'autre sans être capable de choisir entre eux. Et sa faute consiste précisément dans l'incapacité du choix. La musique, un instant, lui insuffle le

1. Cette formule excellente est empruntée à R. Fernandez.

« désir et *presque la force* de consacrer sa vie » aux réalités invisibles. Mais jamais il ne donnera sa mesure, jamais il n'adhérera pleinement à ce qu'il dit[1] ; il demeurera un dilettante, il mourra « comme tant d'autres avant que la vérité faite pour eux eût été révélée[2] ».

Ces derniers mots suscitent des harmoniques théologiques ; c'est au salut de Swann que pense le romancier. Swann est jugé ; il ne prendra pas place parmi les élus. Homme sans vocation, sa vie projette en quelque sorte le cliché négatif de la vie positive des créateurs (Elstir, Vinteuil, lesquels, dans le roman, fournissent la norme éthique et esthétique qui permet de juger les êtres et les œuvres).

Swann mentor, Virgile ou saint Jean-Baptiste, tient le rôle de double ; il préfigure le Narrateur. Figure imparfaite peinte en demi-teinte et avec une touche d'ironie, il se reconstitue pourtant dans la mémoire du lecteur avec un relief assez net, bien que moins puissant que celui du baron de Charlus. Peut-être cette différence est-elle due au fait que Swann (moins qu'Albertine, moins que la grand-mère cependant) est rattaché encore à Marcel par une sorte de lien ombilical.

Charlus, par contre, plus éloigné de Marcel, nous présente une continuité, une unité de caractère plus manifeste, une personnalité plus saillante et plus

---

1. I, pp. 210-211.
2. Il est un saint Jean-Baptiste de l'esthétique, — formule de Cl. E. Magny.

étrange, une réalité plus fantastique. Les diverses
facettes que le baron propose (ou plutôt laisse
imprudemment apercevoir) de sa personnalité,
s'ajustent assez facilement en un « polyèdre
humain ». Il apparaît à l'observateur (comme
Albertine, comme Swann) en fragments disjoints ;
mais ses premières et incohérentes apparitions,
bien qu'elles déroutent un Marcel un peu trop naïf,
s'organisent assez vite en un tableau unique. Tous
les indices mèneront sur une seule piste, vers une
seule solution du problème : Charlus est un homosexuel. Charlus à Tansonville, habillé de coutil,
dans le jardin de Swann, fixant sur Marcel « des
yeux qui lui sortent de la tête », et, de même,
devant le Casino de Balbec, dardant vers lui « des
yeux dilatés par l'attention » ; Charlus prenant le
thé en compagnie de madame de Villeparisis et
dissertant des amours particulières ; Charlus rendant visite à Marcel dans sa chambre, et lui tenant
d'étranges propos sur la plage ; Charlus piquant
une crise d'hystérie devant le Narrateur effaré
(celui-ci lui rend une visite tardive, le soir
même du dîner chez les Guermantes) ; certaines
remarques de la grand-mère qui lui trouve une sensibilité féminine, certaines autres de madame de
Guermantes : (« Avouez qu'il est... par moment un
peu fou »), — tous ces indices et incidents nous
préparent à la véritable *épiphanie* psychologique
qui a lieu dans *Sodome et Gomorrhe* :

> « ... une révolution pour mes yeux dessillés
> s'était opérée en monsieur de Charlus, aussi
> complète, aussi *immédiate* que s'il avait été
> touché par une baguette magique. *Jusque-là,*
> *parce que je n'avais pas compris, je n'avais*

pas vu... C'est la raison qui ouvre les yeux ; une erreur dissipée nous donne un sens de plus [1]. »

Charlus n'est ni un fou, ni un policier, ni un espion, ni un escroc d'hôtel, ni un ascète sportif (hypothèses que son comportement bizarre avait imposées, par intermittence, au jugement de Marcel) ; il est autre chose.

La scène, ou plutôt la cérémonie de fustigation à laquelle le Narrateur assiste, dans *Le Temps retrouvé*, par un œil-de-bœuf, ne fera que répéter celle de l'Hôtel de Guermantes. A partir de celle-ci, il n'y a plus de mystère Charlus, mais une tragédie Charlus. Toutefois, l'homme ne se réduit pas à son type sexuel. Le baron incarne le grand seigneur snob et don Quichotte qui rejoue dans la vie des scènes de Saint-Simon ; il est aussi, comme Swann, un amant passionné (les relations de Charlus-Morel sont l'image *inversée* de la passion Swann-Odette) ; enfin, double et continuateur de Swann, il reprend de la main défaillante de ce dernier le rôle allégorique de l'Amateur. Quant à sa vie, elle n'est qu'une lente dégradation physique et morale. La dernière image qu'il laisse au lecteur est celle d'un roi Lear majestueusement déchu. Pourtant, être complexe, Charlus, comme Swann, avait peut-être en lui l'étoffe d'un artiste [2]. Mais seul, le Narrateur ira jusqu'au bout de sa vocation, tirant de Vermeer et de Vinteuil ce que ses deux prototypes n'ont su faire, — un modèle et un enseignement.

1. II, p. 613. A noter la résonance idéaliste de cette affirmation, l'association aussi de la magie et de la raison.
2. Cf. à ce propos : III, pp. 208-209, et aussi un passage **qui** contredit cette affirmation, III, p. 831.

De Robert de Saint-Loup, de la duchesse Oriane de Guermantes, d'Odette, le Narrateur obtient successivement des instantanés variés, séparés par des hiatus temporels plus ou moins larges ; instantanés qui se contredisent ou contrastent infiniment moins pourtant que les images qu'il obtient d'une Gilberte, d'une Albertine, d'un Swann, d'un Charlus. Personnages d'importance secondaire, — Oriane et Odette sont relativement des caractères médiocres et de peu de relief — ils sont beaucoup plus fidèles à leur première image.

Saint-Loup peut parfois surprendre son ami Marcel par quelques brusques récidives de morgue apparente, de snobisme involontaire. Toutefois, au café de Rivebelle, à Balbec, à Doncières, en compagnie de Rachel, au théâtre (où il gifle un journaliste), au restaurant, chez madame de Villeparisis, chez la princesse de Guermantes, il remplit les promesses de sa prestigieuse apparition au Grand-Hôtel de Balbec, et demeure l'ami dévoué, probe, généreux, véritablement noble. Proust en fait, vers la fin, un homosexuel, un successeur de son oncle Charlus dans les grâces de Morel : subitement, les confidences d'un maître-d'hôtel (Aimé) révèlent au Narrateur navré un Saint-Loup imprévu qui le déçoit, un Saint-Loup pervers. Cette mutation tardive n'ajoute rien au personnage, et, techniquement parlant, est une erreur. Sa mort, aussi brutale que celle d'Albertine, provoque une réconciliation posthume, comme si le romancier avait senti le besoin de faire finir au moins un de ses personnages en beauté[1]. Et, en effet, la page consacrée à la mort

1. Il y a la mort de Bergotte, mais celui-ci fait partie, dès le début, de la catégorie des héros-artistes.

de Saint-Loup, ode funèbre discrète, est l'une des plus belles, des plus émouvantes de l'œuvre, l'une où le mythe aristocratique reprend une couleur épique moderne :

> « Il avait dû être bien beau en ces dernières heures. Lui qui toujours dans cette vie avait semblé, même assis, même marchant dans un salon, contenir l'élan d'une charge, en dissimulant d'un sourire la volonté indomptable qu'il y avait dans sa tête triangulaire, enfin il avait chargé. Débarrassée de ses livres, la tourelle féodale était redevenue militaire. Et ce Guermantes était mort plus lui-même, ou *plutôt plus de sa race, en laquelle il se fondait,* en laquelle il n'était plus qu'un Guermantes, comme ce fut symboliquement visible à son enterrement dans l'église Saint-Hilaire de Combray, toute tendue de tentures noires où se détachait en rouge, sous la couronne fermée, sans initiales de prénoms ni titres, le G du Guermantes que par sa mort il était *redevenu* [1]. »

La duchesse Oriane, dont le portrait est ébauché par Legrandin, par le curé de Combray et le docteur Percepied, aux premières pages du Roman et se continue par touches discontinues jusqu'aux dernières, est à la fois un type et un mythe. L'étude de ce personnage permettrait à lui seul d'analyser les rapports complexes de l'imagination et de la réalité dans le monde proustien. Par Geneviève de Brabant et Gilbert le Mauvais, son « image » ren-

1. III, p. 851.

voie à la lanterne magique, aux vitraux de Saint-Hilaire ; par sa photographie prise à un bal travesti chez la princesse de Léon, elle est associée aussitôt dans l'imagination du jeune Marcel au monde du Moyen Age et du faubourg Saint-Germain. Son mythe, déjà formé par tout un complexe d'associations, d'indications historiques et archéologiques, éclate subitement en morceaux à l'instant où elle pénètre dans l'église de Combray : c'est une femme réelle, comme madame Sazerat ! Mais les morceaux vont se rejoindre rapidement, le mythe reprendra de la vigueur. La morgue de la duchesse rehausse aussitôt son prestige, la situe à nouveau « entre ciel et terre ». Ce prestige va subir encore des hausses et des baisses à la cote de son admiration et provoquera des changements de perspective aussi nombreux « *que les métamorphoses d'Ovide* [1] ». Après une sorte de « blanc chronologique » (il y a, entre *A l'ombre des jeunes filles en fleurs* et *Le Côté de Guermantes,* un hiatus temporel de durée non précisée), nous retrouvons le Narrateur qui vient de déménager dans l'hôtel de la duchesse. Il a oublié la dame de Combray. Madame de Guermantes est maintenant pour lui une élégante parisienne, à laquelle il voue une sorte de culte. Il l'admire de loin, l'observe, la suit dans la rue. A l'Opéra, elle surgit à ses yeux en divinité marine à demi-cachée dans la grotte de sa loge. D'abord nymphe des eaux, elle sera dessinée plus loin en oiseau mythologique, qu'évoquent sa voix rauque et son nez aquilin. Et si, « *dans l'éclair d'une métamorphose* », elle lui avait sauté aux yeux, à Combray, avec un

---

1. I, p. 754.

visage qui « refusait la couleur du nom de Guermantes », elle a reconquis maintenant tout son
mystère et son prestige. Finalement, il sera reçu
dans son salon, et il énumérera, avec un grand
luxe de détails « les apparitions successives » de
ses « visages différents ». Les réceptions qu'elle
organise permettront à Marcel de se livrer à des
expériences de sociologie amusante. Il regardera
autour de lui avec l'œil d'un peintre et aussi d'un
anthropologue. (Un passage du manuscrit de *Sodome et Gomorrhe* [1], supprimé plus tard, justifie la
curiosité mondaine du Narrateur : « ... *mais dans
le demi-monde la sociologie n'est pas, comme dans
le monde, constituée à l'état de science exacte* ».)
D'autre part, si elle incarne le snobisme aristocratique, madame de Guermantes intéresse profondé-
ment Marcel par son âge mental, « si antérieur au
mien », dit-il, par le fait qu'elle se rattache à la fois
aux familles royales et à un monde inconnu, médié-
val et paysan. De plus, elle joue, elle aussi, le
rôle d'allégorie de l'Elégance, poussant, nous dit-on,
l'art de la toilette (forme anodine de la métamorphose !) plus loin encore que madame Swann. Elle
réapparaîtra dans la dernière scène du Roman, non
plus nymphe des eaux, mais vieux poisson sacré,
« son corps émergeant à peine de ses ailerons de
dentelle noire [2] ». Et le Narrateur récapitule,
comme il le fait pour Saint-Loup, tous les
« tableaux » qu'il a peints, essayant de reconstituer
la prédelle profane, la vie en image d'Oriane :
Madame de Guermantes imaginée, baignant dans

1. II, p. 1060.
2. III, p. 927.

un rêve héraldique, puis réelle, fragmentaire et successive. Il déclare : « Et cette *seconde personne*, celle née non du désir, mais du souvenir, n'était pas, pour chacune de ces femmes, unique... *il y avait plusieurs duchesses de Guermantes* [1]. »

Tous les personnages proustiens évoluent, mais les uns intérieurement, les autres socialement, d'autres encore des deux façons à la fois ; certains changent brutalement, d'autres graduellement. Aucune métamorphose n'est identique à l'autre. Par exemple, la duchesse de Guermantes ne se transforme que dans l'imagination du Narrateur, c'est-à-dire au gré de ses évaluations, de ses rêves, de ses déceptions. Odette, les premières surprises du Narrateur passées (c'est-à-dire quand il a réussi à établir un lien entre la dame en rose de l'oncle Adolphe, la dame en blanc de Tansonville, madame de Crécy et miss Sacripant), change simplement de situation sociale. Intérieurement, elle ne varie pas du tout et demeure, dans ses goûts et son comportement, une femme entretenue : elle prendra plaisir à toucher de l'argent de son gendre, Saint-Loup, elle finira dans la peau d'une maîtresse du duc de Guermantes. Charlus devient soudainement, aux yeux de Marcel stupéfait, ce qu'il était depuis longtemps. La révolution dont l'auteur nous parle s'opère en lui, non dans le personnage.

Le plus souvent, c'est par une scène surprise d'une fenêtre (Montjouvain, cour de l'Hôtel de

1. III, p. 990.

Guermantes, maison de passe), souvent par un mot
lâché au hasard, un geste, une photographie qu'on
lui met sous les yeux, une confidence qu'on lui
glisse, un renseignement qu'on lui donne parfois
très tardivement, que Marcel discerne tout à coup
la vérité cachée d'un caractère. On dirait un policier attentif, astucieux, mais qui ne ferait presque
jamais confiance à son intuition, qui se délecterait
aux hypothèses. Sa lenteur névrotique établit une
chaîne d'inférences rationnelles là où — par
exemple dans le cas de *la reconnaissance* d'un
visage — il ne s'agit point d'un déchiffrement mot
à mot, mais d'une lecture immédiate. Chez certains autres personnages se produit une transformation brusque, une rupture. A propos de Cottard,
le Narrateur constate que la seconde partie d'une
vie est quelquefois, non pas le développement ou le
flétrissement de la nature première, mais son
retournement complet. De même, Bloch a connu
une mutation physique et morale analogue, sa
nature s'étant bonifiée par l'âge comme un vin ; le
Narrateur, à la Matinée finale, le reconnaît à peine.
D'ailleurs Bloch a transformé jusqu'à son nom ; il
fait figure maintenant de grand homme, il est l'auteur à succès d'ouvrages sans originalité ; même
son nez juif semble, par la transformation de son
visage, presque inapparent ; enfin, il est devenu
discret, réservé, presque hautain. Chez Elstir, une
scission analogue a eu lieu : le Narrateur à Balbec
ne retrouve plus en lui le rapin (monsieur Biche)
du premier milieu Verdurin. Parfois cette scission
dans un personnage unique sépare deux personnalités non pas successives, mais simultanées : Vinteuil qui, extérieurement, est un pauvre profes-

seur de piano, un médiocre petit bourgeois, est aussi l'auteur génial de la Sonate. Swann, après avoir entendu la Sonate jouée par la pianiste, interroge madame Verdurin :

> « Je connais bien quelqu'un qui s'appelle Vinteuil, dit Swann, en pensant au professeur de piano des sœurs de ma grand-mère. — C'est peut-être lui, s'écria madame Verdurin. — Oh ! non, répondit Swann en riant. Si vous l'aviez vu deux minutes, vous ne vous poseriez pas la question. — Alors poser la question, c'est la résoudre ? dit le docteur. — Mais ce pourrait être un parent, reprit Swann, cela serait assez triste, mais *enfin un homme de génie peut être le cousin d'une vieille bête.* Si cela était, j'avoue qu'il n'y a pas de supplice que je m'imposerais pour que la vieille bête me présentât à l'auteur de la sonate : d'abord le supplice de fréquenter la vieille bête, et qui doit être affreux [1]. »

Si la Berma finit dans la misère, trahie par ses enfants qui vont rendre hommage à Rachel, celle-ci est devenue une actrice en vogue, une reine du théâtre parisien, la « Rachel quand du Seigneur », la prostituée que Marcel a connue jadis, a disparu. Morel lui-même, protégé de Charlus, petit arriviste sans scrupule, déserteur durant la guerre, est devenu un homme estimé et respecté. D'autre part, d'autres personnages se ressemblent comme des frères et constituent, dirait-on, la double face d'un être unique [2] : la duchesse et la princesse de Guer-

---

1. I, p. 214.
2. Cf. le rêve de Swann : « comme certains romanciers, il avait distribué sa personnalité à deux personnages... ». I, p. 379.

mantes, le duc et le prince de Guermantes, Gilberte
et Albertine, Swann et le Narrateur.

Comment ces métamorphoses diverses, ces profils
de Janus peuvent-ils nous permettre de reconstruire
des êtres à trois dimensions, de parvenir jusqu'à
leur essence ? Evoquant le premier Swann qu'il a
connu à Combray, et dans lequel il retrouve les
« erreurs charmantes de sa jeunesse », le Narrateur
ajoute ensuite que ce Swann semblait tout à fait
étranger à celui qu'il avait connu *plus tard avec
exactitude* [1]. Nous ne pouvons cependant repérer
dans l'œuvre l'endroit de cet instant de vérité. Car,
à la fin de sa vie, Swann (comme Saint-Loup) opère
simplement un retour à sa *race* et non à son
essence. A la fin du *Temps retrouvé*, le Narrateur
avoue :

> « Sans doute la vie, en mettant à plusieurs
> reprises ces personnes sur mon chemin, me les
> avait présentées dans des *circonstances parti-
> culières* qui, en les entourant de toutes parts,
> *avaient rétréci la vue* que j'avais eue d'elles, et
> m'avait empêché de *connaître leur essence* [2]. »

Que signifie ce terme d'essence ? Caractère, espèce
ou allégorie ? Proust, dessinant d'abord la courbe
évolutive d'un caractère, juge parfois ses personnages à un point de vue moral. Odette, prononcera-
t-il, est médiocre, le duc Basin, paresseux, Oriane,
sans réelle bonté, Brichot, vulgaire et pédant, Bloch
sans originalité. D'autre part, il essaye d'expliquer
scientifiquement la genèse d'une conduite, de déterminer un type. Alors il ne jugera plus les êtres du

1. I, p. 19.
2. III, p. 975.

point de vue normatif, mais les considérera du regard froid de l'observateur. L'immobilité du type par rapport au mouvement des métamorphoses « viendra de notre indifférence qui les livrera au jugement de l'esprit [1] ». Proust parlera d' « essences générales », de lois psychologiques générales. Il s'exprimera en naturaliste :

> « L'écrivain ne se souvient que du *général...* Car il n'a écouté les autres que quand, si bêtes ou si fous qu'ils fussent, répétant comme des perroquets ce que disent les gens *de caractère semblable,* ils s'étaient faits par là même les oiseaux prophètes, les porte-parole d'une loi psychologique [2]. »

C'est ainsi qu'il cherchera les lois de ressemblances héréditaires. Il relèvera par exemple les traits communs à tous les Guermantes : un profil d'oiseau, une certaine blondeur végétale, et une finesse de porcelaine de Saxe. Il retrouve, dans le visage de Léonor de Cambremer, les méplats apparents dans celui de son oncle Legrandin. Il remarque qu'il y avait, « enclavé » dans son camarade Bloch, « un père Bloch qui retardait de quarante ans sur son fils [3] ». Il constate plus d'une fois des analogies de comportement entre lui-même et ses parents et sa tante Léonie. Il saisit des ressemblances physiques entre Gilberte et ses parents : sur le visage de la jeune fille, tantôt ce sont les traits d'Odette qui deviennent lisibles, tantôt ceux de Swann, et à l'identification physique correspond l'assimilation morale : il y a chez Gilberte deux personnalités

1. III, p. 66.
2. III, p. 900.
3. I, p. 769.

qui jouent à cache-cache, qui peuvent apparaître successivement : une personnalité intelligente et perverse, celle d'Odette, une personnalité généreuse, celle de Swann [1].

Quelquefois la ressemblance est dépistée par la double vue que donne la passion. Ainsi Saint-Loup, amant de l'une et de l'autre, assimile le type physique de Rachel à celui de Morel, et une certaine affinité unit les diverses femmes aimées par Marcel. (On nous dit d'autre part que le Narrateur a quelque chose d'Andrée.) Le vice homosexuel détermine chez Saint-Loup et Legrandin la même démarche rapide, des effacements, des virevoltes identiques ; mais il opère chez Charlus une transformation *inverse :* celui-ci s'épaississant, s'alourdissant, tandis que les deux autres prennent un aspect de plus en plus nerveux et désinvolte [2]. (Monsieur de Charlus parfois laisse échapper des manières féminines qui l'identifient à plusieurs femmes de sa famille.)

L'identification peut parfois devenir volontaire [3] ; c'est ainsi que, après la mort de sa mère, la mère du Narrateur, par dévotion, l'imitera de plus en plus, ayant hérité d'ailleurs aussi bien de ses goûts lit-

1. « En tant d'êtres il y a différentes couches qui ne sont pas pareilles, le caractère de son père, le caractère de sa mère ; on traverse l'une, puis l'autre. Mais le lendemain, l'ordre de superposition est renversé. Et finalement on ne sait pas qui départagera les parties, *à qui on peut se fier pour la sentence.* » III, p. 692.

2. III, p. 698.

3. Cf. *Sodome et Gomorrhe,* II, p. 695 : « On pourrait faire ainsi toute une galerie de portraits, ayant le titre de la comédie allemande *Oncle et Neveu,* où l'on verrait l'oncle veillant jalousement... à ce que son neveu finisse par lui ressembler. » Ici la volonté est celle d'un agent extérieur.

téraires que de sa rigueur morale. Et Saint-Loup demande au Narrateur s'il ne trouve pas que Gilberte a quelque chose de Rachel. Cette ressemblance, le Narrateur tente d'en trouver la raison d'abord en se référant à une loi d'hérédité : l'origine hébraïque des deux femmes. Mais il ajoute qu'elle tenait surtout à ce que Gilberte, ayant surpris des photographies de Rachel, cherchait, pour plaire à son mari, à imiter l'actrice dans sa toilette [1].

Enfin, les ressemblances peuvent être dues à des causes sociologiques. Chaque personnage appartient simultanément à des séries intellectuelles et sociales différentes, à divers types. Les relations qui relient chaque personnage à divers autres sont si complexes qu'il faudrait peut-être avoir recours à l'algèbre de la parenté créée par Alexandre Mac Farlane, pour les saisir synoptiquement !

Fernandez définit Proust : « une sorte de savant de l'émotion refroidie ». Il ajoute : « Les premiers contacts de Proust avec le monde produisent une sorte de nébuleuse poétique qui lentement se refroidit et se cristallise en idées. C'est ainsi notamment que se forme son monde social [2]. » Mais cette position abstraite ne constitue pas la dernière phase de la psychologie proustienne. Les personnages proustiens principaux possèdent pour nous, lecteurs, le charme des allégories poétiques. Charlus, composé de sa race et de son vice ? Oui, mais aussi un Whistler en noir, blanc et rouge, un don Quichotte, et finalement un roi Lear déchu, floué, trahi. Swann,

---

1. III, p. 702.
2. *La Vie sociale dans l'œuvre de Marcel Proust,* par Ramon Fernandez. Les Cahiers Marcel Proust, n° 2.

un représentant de sa race, un juif ? Certes, mais
avant tout un Moïse qui n'entrera pas dans la Terre
promise, l'annonce de l'homme véritable qu'est le
Créateur, le « résumé-mythe » d'un certain type
de mondain sensible et sensuel qui hante les
romans du xix° siècle finissant. La duchesse de
Guermantes ? L'alliage d'un Van Dongen et d'une
figure de vitrail, un poisson fabuleux, un cygne
mythologique, une allégorie de l'Elégance. A une
magnification de certains êtres ou de certains lieux,
succède, il est vrai, le désenchantement, l'étape de
l'analyse psychologique, le stade des lois. Mais le
mouvement romanesque récupère ces deux premières étapes, et il ne s'arrête pas ; sans cesse, les
mythes renaissent et les déceptions récidivent. Le
roman devient un antiroman, il accomplit la destruction, sans cesse recommencée, du mythe amoureux, social ou géographique, mais aussi il récupère
le prosaïque. L'œuvre est faite de ce mouvement
qui ne s'achève pas. Lorsque dans *Le Temps
retrouvé* le Narrateur, revenu à Paris après la
guerre, cueille une nouvelle carte d'invitation de
la princesse de Guermantes dans sa boîte aux
lettres, son imagination restitue au Nom aristocratique un charme à la fois nouveau et ancien. Le
mythe des Guermantes refleurit, et ceux-ci rede-
viennent « incomparables ». Leur nom, à nouveau
lointain et familier, miroite à travers le passé et le
présent. Et, à la dernière page du *Temps retrouvé*,
le duc de Guermantes, s'avançant en tremblant
comme une feuille « *sur le sommet* peu praticable
de quatre-vingt-trois années » apparaît telles jadis
Albertine et mademoiselle de Saint-Loup, comme
le dieu Temps, juché sur de « vivantes échasses,

grandissant sans cesse, *parfois plus hautes que des clochers* ».

Les choses, les personnes ne peuvent se réduire à un faisceau de lois, à un panorama d'images. La grand-mère et Saint-Hilaire sont des êtres qui résistent à l'analyse et au désenchantement. Les lieux sacrés, comme Beaumont, ne perdent pas complètement leur privilège d'extra-territorialité et ne se dissolvent pas finalement dans l'étendue uniforme : à une conception scolastique, réaliste, s'oppose un moment une conception nominaliste et scientiste qui demeure ambiguë. Proust a hérité de son époque la théorie associationniste de l'image, l'interprétation tainienne des lois naturelles, lesquelles ne s'accordent pas avec sa vision poétique. Pour celle-ci, les choses ont un sens et une âme. L'antithèse du réel et de l'imaginaire, de l'apparence et de l'être, de l'essence et de la loi pose un problème.

Affirmer que l'idée d'allégorie, plutôt que celle de personne, confère une unité à tous les « clichés » de l'homme Swann par exemple, c'est constater que ni le jugement moral ni l'explication scientifique n'atteignent l'essence de son être. Mais une allégorie signifie autre chose qu'elle-même, elle renvoie à quelqu'un d'autre, elle vaut dans la mesure où elle s'approche au plus près de ce qu'elle désigne. Swann, selon cette définition, est condamné à ne point jouir d'une existence plénière, à n'être que l'amorce et l'annonce, la préface et le prophète du Héros-Narrateur.

Mais qu'en est-il de ces êtres purs, qui ne sont pas des artistes, mais dont l'existence ne fut que dévouement et sacrifice, la grand-mère, le père, la mère de Marcel ? Dans *Le Temps retrouvé*, le Narrateur déclare qu'il avait beau croire « *que la vérité suprême de la vie est dans l'art* », il se demande si le fait d'avoir été *un modèle* pour un artiste représentait réellement pour elle un accomplissement [1]. Quant aux amateurs subalternes que nous rencontrons dans le Roman, sont-ils autre chose qu'une illusion à décrire ? Ski, le sculpteur, par exemple, superficiellement doué pour tous les arts, qui finalement est devenu semblable à un fruit qui a séché [2] ? Pourtant ni lui ni madame Verdurin elle-même, ni monsieur Verdurin (lequel, comme Swann, a été critique d'art), ni madame de Cambremer, amateur de musique, ne sont condamnés totalement. Proust

---

1. III, p. 902.
2. III, p. 936. Il est le *double inversé* d'Elstir auquel *il ressemble extérieurement :* « Madame Verdurin prétendait qu'il était plus artiste qu'Elstir. Il n'avait d'ailleurs avec celui-ci *que des ressemblances purement extérieures.* Elles suffisaient pour qu'Elstir, qui avait une fois rencontré Ski, eût pour lui la répulsion profonde que nous inspirent, plus encore que les êtres tout à fait opposés à nous, *ceux qui nous ressemblent en moins bien,* en qui s'étale ce que nous avons de moins bon, les défauts dont nous nous sommes guéris, nous rappelant fâcheusement ce que nous avons pu paraître à certains avant que nous fussions devenus ce que nous sommes. Mais Madame Verdurin croyait que Ski avait plus de tempérament qu'Elstir parce qu'il n'y avait aucun art pour lequel il n'eût de la facilité, et elle était persuadée que cette facilité, il l'eût poussée jusqu'au talent s'il avait eu moins de paresse. Celle-ci paraissait même à la Patronne un don de plus, étant le contraire du travail, qu'elle croyait le lot des êtres sans génie. » (II, p. 873).

déclarera qu'il ne faut pas les dédaigner, ils sont les « premiers essais de la nature qui veut créer l'artiste [1] ». Mais, ajoute-t-il sévèrement, ils demeurent l'ombre d'un autre être, et n'ont pas d'autonomie véritable.

(En madame Swann et Françoise, par exemple, Proust voit aussi des ébauches d'artistes ; il les fait participer ainsi directement à la vie de l'esprit.)

Dans l'épisode du dîner offert à monsieur de Norpois, l'auteur nous peint Françoise s'adonnant à l'art de la cuisine pour lequel elle avait un don. Elle compose selon une recette secrète le bœuf à la gelée ; elle vit « dans l'effervescence de la création [2] ». Elle va elle-même aux Halles choisir les meilleurs morceaux, comme Michel-Ange passant huit mois dans des montagnes de Carrare pour choisir les plus beaux marbres. Elle brûle « de la certitude des grands créateurs ». Quand la mère du Narrateur lui demande son secret (Françoise n'était pas beaucoup plus capable — ou désireuse — de dévoiler le mystère qui faisait la supériorité de ses gelées et de ses crèmes, qu'une grande élégante pour ses toilettes [3]...), elle répond qu'il faut savoir cuire *tout ensemble*. Le bœuf devient une éponge et boit tout le jus. L'art de la cuisine implique le sens inné de l'unité : le bon plat a quelque chose d'homogène comme l'œuvre d'art authentique. A la fin du *Temps retrouvé,* le Narrateur se demande pourquoi il ne bâtirait pas son œuvre à la façon de Françoise élaborant son bœuf mode [4] « dont tant de

1. III, p. 892.
2. I, p. 445.
3. I, p. 485.
4. III, p. 1035.

morceaux de viande ajoutés et choisis enrichis-
saient la gelée », c'est-à-dire une œuvre où beaucoup d'églises, de sonates et de jeunes filles servi-
raient à décrire une seule église ou sonate ou jeune
fille. Finalement donc, le bœuf à la gelée de Françoise devient un des symboles merveilleux de
l'Œuvre. Proust compare explicitement l'art de la
cuisinière à celui de la grande élégante. Elle a un
secret comme madame Swann a le sien. Celle-ci,
promeneuse dans l'avenue du Bois, souriante, a
l'air « d'assurance et de calme du créateur qui a
accompli son œuvre et ne se soucie plus du reste,
certaine que sa toilette était la plus élégante de
toutes [1] ». Comme Elstir marque toutes ses œuvres
de son sceau, madame Swann possédait un don
d'expressivité vestimentaire « qui donnait à ses
mises les plus différentes un même air de
famille [2] ». Et comme dans l'œuvre de Proust, sous
un présent translucide pointe un passé doré, dans
tel ensemble de madame Swann on lit, sous-jacent,
un charme de mode ancienne :

> « Et parfois, dans le velours bleu du corsage
> un soupçon de crevé Henri II [...] insinuant
> sous la vie présente comme une réminiscence
> indiscernable du passé [3]... »

Toutefois, les créateurs — un Elstir, un Bergotte —
demeurent les seules consciences parfaites, les
seuls êtres autonomes de l'Œuvre. Elstir voit les

1. I, p. 636.
2. I, p. 619.
3. I, p. 620.

choses comme elles sont, et se juge lui-même. Bergotte (bien que chez lui existe une scission entre l'homme et le créateur), au moment de mourir, juge son œuvre avec lucidité en la comparant à un tableau de Vermeer, ce peintre auquel Swann toute sa vie s'était promis de consacrer une étude. Pour le romancier seulement, la promesse de l'Ange de Venise est valable. Il a rempli les obligations contractées sans doute dans une vie antérieure et qui imposent à l'artiste, même athée, de tout sacrifier à la perfection de l'œuvre. Le jour de sa mort, ses livres, disposés trois par trois, veillent « comme des anges aux ailes déployées » et semblent « le symbole de sa résurrection ». Seul l'artiste est un être complet, seule sa vie a un sens ; elle perdure dans une œuvre qui n'est pas un sarcophage mais une chose vivante. Aussi brillantes qu'elles aient pu apparaître un moment, les destinées des autres sont des échecs. Même un Saint-Loup qui meurt en héros, n'est pas « changé en lui-même », selon la formule de Mallarmé, mais en allégorie anonyme de sa race.

X

LA PORTE D'OR DE L'IMAGINATION
ET LA PORTE BASSE DE L'EXPÉRIENCE

La psychologie proustienne manifeste deux ten-
dances opposées. D'un côté elle rend, avec un sens
infinitésimal de la nuance, les variations d'un être ;
elle est sensible à toutes les intermittences et
éclipses de la personnalité, à la duplicité, à la multiplicité des « moi ». D'un autre côté, elle typifie.
Robert de Saint-Loup, c'est l'ami, l'officier libéral,
le lecteur de Proudhon, c'est aussi le Noble. Le type,
synthèse de plusieurs « doubles » (Albertine résumant ou subsumant les jeunes filles de Balbec,
mademoiselle de Saint-Loup, le premier amour
pour Gilberte aussi bien que les passions de tête
pour Odette et Oriane, Saint-Loup divers « côtés »
physiques et moraux de Legrandin, de monsieur de Charlus, du clan Guermantes, Swann
jouant le rôle d'abrégé de Bloch, de Ski, de Marcel
lui-même, de Charlus en tant qu'amateur doué),
tend vers l'allégorie poétique (Albertine et mademoiselle de Saint-Loup, déesses du Temps et de
l'Amour, Saint-Loup allégorie de sa race, Swann
allégorie du Narrateur, de l'amateur, de l'israélite

intégré, de l'amant). Les personnages même les plus typifiés n'ont cependant pas leur clé en poche, pour ainsi dire. Ils ne prennent sens que par rapport à une expérience libératrice, celle précisément de Marcel qui se détache d'eux et les dépasse. Par l'allégorie, ils sont référés à des schèmes imaginaires, schèmes dont certains d'ailleurs circulent à travers l'Œuvre sans pouvoir jamais s'incarner pleinement.

Ainsi le Thème de la femme rousse, lequel se réfracte fugitivement sur telle paysanne imaginée dans les bois de *Roussainville* [1], sur telle laitière aperçue sur le quai d'une gare, jeune fille à la figure rouge et or, illuminée comme par un vitrail [2], sur tel chasseur du Grand-Hôtel de Balbec dont la chevelure est un éplorement orangé [3], sur la femme de chambre de madame Putbus, jamais rencontrée, mais dont Marcel rêve jusqu'à la fin du livre et que Saint-Loup compare à un Giorgione [4], sur la femme d'Elstir, opulente beauté vénitienne, sur telle marchande de fleurs de Venise, « vrai Titien » dont la carnation de fleur fournit « toute une gamme de tons orangés [5] ».

Les commentateurs ont étudié le rôle de la rétros-

---

1. Cf. I, p. 157 :
    « ... la passante qu'appelait mon désir me semblait être non pas un exemplaire quelconque de ce type général : la femme, mais un produit nécessaire et naturel de ce sol », c'est-à-dire une allégorie, comme les saisons d'Arcimboldo.
    Cf. également : « ... une jeune fille rousse à la peau dorée était restée pour moi l'idéal inaccessible » (I, p. 795).
2. I, p. 657.
3. I, p. 723.
4. II, p. 694.
5. III, p. 640.

pection chez Proust plutôt que celui de la prospection imaginative aiguillonnée par le désir, tournée vers l'avenir. Ainsi la jeune laitière fait rêver, promesse d'un futur heureux, initiatrice à la vie rustique ; Oriane de Guermantes se présente souvent entourée d'une aura lumineuse que projettent sur elle les lueurs du vitrail de son Nom, dont la dernière syllabe est imbue d'orangé ou d'amarante. Grâce aux diverses couleurs serties dans ce Nom, elle évoque divers lieux imaginaires [1], « cadre d'un roman ». L'imagination, à travers le vitrail qui est son emblème, confère non seulement aux villes et aux fleuves une individualité distincte, « *comme le font les peintures allégoriques* [2] », mais elle « *diapre de différences* » même l'univers social.

Différences analogues à celles provoquées par l'épiphanie de la tasse de thé, bien que produites par une autre faculté que la mémoire involontaire ou l'intelligence discriminative. Rêves de l'imagination dont chacun se distingue par une nuance juste, fraîche, tandis que la mémoire volontaire étend sur sa toile des tons conventionnels : les Noms, dans le tourbillon de la vie ordinaire qui les dégrade en *mots,* se réduisent à de banales cartes de visite. Proust compare la vie quotidienne à une toupie prismatique tournant très vite et sur laquelle les teintes diverses virent au gris : pour lui, en effet, comme pour Zénon d'Elée, le mouvement semble toujours engendrer l'illusion. La rêverie au contraire, ralentit la pensée et fait apparaître, juxtaposées, distinctes, les différentes couleurs.

(Le recours à la métaphore du vitrail, variante de

1 et 2. II, p. 11.

la lanterne magique, la référence à la toupie et ailleurs au kaléidoscope, aux tubes de peinture, aux fleurs japonaises, aux bulles de savon, aux puzzles, marquent la prédilection de Proust pour l'usage symbolique des jouets enfantins. N'oublions pas les décalques, les images d'Epinal analogues à des anamorphoses et dans lesquelles, d'un certain point de vue, on lit un visage dans les feuilles d'un arbre, comme dans les tableaux d'Elstir le ciel semble une mer).

L'imagination proustienne, nourrie par la lecture, les souvenirs de tableaux de maîtres, par le désir charnel ou celui du voyage, construit des mythes. Elle peint des icônes, images sur fond d'or [1]. Ainsi les Champs-Elysées, endroit de jeux banal, s'enflamment tout à coup comme un nouveau Camp du Drap d'or : il est traversé par le nom de Gilberte à la rousse chevelure qu'une amie avise et hèle. Ainsi Florence se profile sur les fonds d'or de l'Angelico, la baie de Balbec récupère son prestige perdu à l'instant où Elstir signale à Marcel que « c'était le golfe d'opale de Whistler ».

Il semblerait donc que les Noms, par l'activité de l'imagination projective, particularisent les êtres et les lieux, marquent les contrastes en les rendant plus réels. Les mythes permettraient non pas de créer arbitrairement la réalité, mais de la faire

1. Cf. I, p. 905 : « ... l'aurore de jeunesse dont s'empourprait encore le visage de ces jeunes filles... illuminait tout devant elles..., faisait se détacher les détails les plus insignifiants de leur vie *sur un fond d'or* ».

apparaître, de l'explorer, comme les nombres imaginaires permettent de mesurer des distances réelles et positives. En fait, les rapports du rêve et de la réalité sont dominés chez Proust par une étrange ambiguïté.

L'imagination proustienne, semble-t-il, valorise parfois une réalité qui, sans elle, demeurerait banale et sans éclat. Parfois au contraire, la réalité vaut par elle-même, et l'imagination est rétrogradée au rang d'un jeu d'illusions qui voile le vrai. Proust qualifiera alors les Noms de trompeurs ; la foi dans l'individualité des êtres se réduira à une erreur enfantine, les projections de l'imagination, à des grossissements artificiels qui faussent en simplifiant. Nous retrouvons ici l'ambivalence que comporte la signification des illusions de perspective peintes par Elstir, — mirages et vérités poétiques à la fois. Chez Proust, la lecture s'ouvre comme une fenêtre sur une réalité riche et complète ; parfois, au contraire, elle fournit à la réalité trop pauvre le double esthétique qui la colore et l'approfondit. Tantôt la vérité semble se tenir du côté du Narrateur, lequel tente désespérément d'accéder à une pleine réalité qui seule compte et qui se dérobe sans cesse ; tantôt du côté de la grand-mère, qui ne peut tolérer la minceur et la brutalité du réel, auquel elle substitue un double artistique (par exemple une gravure de la cathédrale de Chartres exécutée d'après un tableau de Corot). Tantôt donc, l'image colorante manque d'épaisseur, tantôt la vulgaire réalité ne se valorise et ne se colore que par l'image.

C'est ainsi que les Noms peuvent devenir des dessinateurs fantaisistes, le mythe se dégrader en

un type conventionnel, *moyenne* établie entre différents visages ou divers lieux, pâle image. La jeune
laitière, surgissant tout à coup sur le quai de la
gare normande, frappe le Narrateur par sa présence réelle ; elle est étrangère aux modèles de
beauté que dessinait la pensée de Marcel [1], — elle
s'avère imprévisible. Dans le même livre (*Les
jeunes filles en fleurs*), Marcel emploiera des
termes identiques pour décrire sa déception devant
la Vierge de Balbec. La statue réelle ne répond nullement au portrait-robot que Marcel avait forgé
d'après des photographies et des moulages. Pourtant, elle ne lui propose pas, en compensation, une
beauté imprévisible, mais demeure banale comme
une définition sans contenu, celle par exemple de
« chef-d'œuvre immortel ». Lorsque, pour la
seconde fois, le Narrateur entend la Berma, il comprend soudain que l'essence de son talent réside
dans sa transparence même (une fenêtre ouverte
sur un chef-d'œuvre). Cette essence originelle ne
pouvait être imaginée selon de vagues formules
(beauté, largeur de style, etc.), car elle n'est point
résidu chimique, mais *pure expressivité spirituelle* : « ... je ne la confrontais plus à une idée
préalable, *abstraite et fausse*, du génie dramatique,
et je comprenais que le génie dramatique c'était
justement cela [2] ».

De même les Noms peuvent donner des gens et
des pays « des croquis si peu ressemblants que nous
éprouvons souvent une sorte de stupeur quand nous
avons devant nous, au lieu du monde imaginé, le

1. I, p. 656.
2. II, p. 49.

monde visible (*qui d'ailleurs n'est pas le monde vrai*, nos sens ne possédant pas beaucoup plus le don de la ressemblance que l'imagination, si bien que les dessins enfin approximatifs qu'on peut obtenir de la réalité *sont au moins aussi différents du monde vu que celui-ci l'était du monde imaginé* [1]) ».

Lorsque par exemple la femme imaginée apparaît, l'image réelle ne réplique pas exactement au dessin fantaisiste, lequel soudain se dissout. A Balbec, la grand-mère de Marcel émet l'hypothèse que madame de Villeparisis a quelque parenté avec les Guermantes. Cette supposition choque le Narrateur :

> « Comment aurais-je pu croire à une communauté d'origine entre deux noms qui étaient entrés en moi, l'un par *la porte basse et honteuse de l'expérience*, l'autre *par la porte d'or de l'imagination* [2]. »

Le même phénomène se produit, avec des modalités différentes, à la première rencontre de Bergotte, de la duchesse de Guermantes, de la Berma, de la Vierge de Balbec.

En fait, le monde vrai se reconstitue au cours d'une expérience postérieure, laquelle équilibrera l'imaginaire et le réel vu, *qui n'est pas encore le réel vrai*. Celui-ci, récupération quasi dialectique de l'étape fabulatrice et du moment de la déception, réconcilie l'imaginaire et le vu. Le mouvement du récit remodèle les deux expériences contradictoires. Le romanesque ne vit-il pas en effet de l'opposition entre deux pôles de signes contraires, entre les

1. I, p. 548.
2. I, p. 698.

mythes transfigurateurs et fabulateurs et le démenti du réel ? L'imagination invente, comme la peinture d'Elstir, mais avec moins de certitude, des perspectives accélérées, des anamorphoses, des métamorphoses : « Mais mon imagination, semblable à Elstir en train de rendre *un effet de perspective* sans tenir compte des notions de physique qu'il pouvait par ailleurs posséder, me peignait *non ce que je savais, mais ce qu'elle voyait* ; ce qu'elle voyait, c'est-à-dire ce que lui montrait le nom[1] ». Toutefois, comme les illusions d'optique peintes par l'artiste voilent et dévoilent une vérité essentielle, comme il y a quelque chose d'élémentairement vrai dans une métaphore démentie pourtant par l'astronomie (*le lever* du soleil, par exemple), l'imagination ne peut pas être qualifiée de maîtresse d'erreur. *Il y a une vérité romanesque et poétique de l'imaginaire.* Enfin, ce que nous appelons monde visible, lieu de l'expérience quotidienne et scientifique, n'est qu'un schéma décoloré, un résidu de l'imagination créatrice. « On s'ennuie à dîner parce que l'imagination est absente, et, parce qu'elle nous y tient compagnie, on s'amuse avec un livre[2]. »

1. II, p. 568.
2. II, p. 569.

XI

STRUCTURE DE L'ŒUVRE

Une étude de la structure de la *Recherche,* où le point de vue tiendrait un rôle technique et non plus philosophique ou pictural, doit en premier lieu rendre visible la correspondance intime qui lie la forme et le sens. L'examen d'un style architectural renvoie finalement à la pensée du créateur.

Proust, dans son étude sur Flaubert, nous confie qu'il a utilisé lui-même, afin de relier un livre à l'autre, un joint précieux : la réminiscence. Considérée au point de vue du romancier, celle-ci n'apparaît plus comme un phénomène appelant une interprétation métaphysique (en tant que signe d'une réalité plus élevée), mais comme un *moyen* : jointure entre deux tableaux, parfois assez éloignés l'un de l'autre, entre deux figures homothétiques, souvent inverses.

C'est ainsi que, se cherchant des garants parmi ses prédécesseurs, Marcel cite deux passages des *Mémoires d'outre-tombe*[1] où sont évoqués des moments magiques. Le gazouillement d'une grive

1. III, 1 et VI, 5.

entendu à Montboissier restitue Combourg, un parfum d'héliotrope respiré à Terre-Neuve fait revivre tout le passé de Chateaubriand. Ces deux sensations sont utilisées par l'écrivain pour donner une direction nouvelle à son récit, *pour passer d'un plan à un autre,* pour créer une anamorphose, une perspective à la de Hoogh.

Semblablement, dans la première partie de *Sylvie,* Gérard de Nerval évoque une soirée théâtrale où l'étoile est une comédienne pour laquelle il éprouve une vive passion. Au cours du spectacle, Gérard lit tout à coup une annonce qui fait surgir, par association d'idées, deux autres épisodes amoureux de son enfance. Par ce biais, le poète se trouve à même de déplacer instantanément le lieu de sa nouvelle : de la salle, à Loisy. Cette technique est destinée, selon la formule même de Proust, à « *imiter la mémoire involontaire* ». La jointure ne consiste pas toujours en une réminiscence précieuse. Les tableaux antithétiques se font parfois écho musicalement, nous devons reconstituer nous-mêmes le diptyque qu'ils forment. Ces oppositions obéissent à des schèmes profonds, à des lois inconscientes de l'imagination proustienne. On pourrait les qualifier de métaphores structurales. La répétition des *scènes types,* union des différences et parfois coïncidence des contraires, anaphore de la rhétorique romanesque, a charge de suggérer une vérité neuve.

C'est ainsi que la ressemblance entre le comportement d'Albertine et celui de la Gilberte des premiers temps [1] exprime la fixité du tempérament de

---

1. I, p. 894.

Marcel, une certaine *loi constante* de ses différentes passions. (La femme qu'il lui faut s'avère une *projection inversée*, un négatif de sa sensibilité.) A ce propos, Proust remarquera :

> « ... un romancier pourrait, au cours de la vie de son héros, *peindre presque exactement semblables ses successives amours* et donner par là l'impression non de s'imiter lui-même, mais de créer, puisqu'il y a moins de force dans une innovation artificielle que dans *une répétition destinée à suggérer une vérité neuve* [1]. »

La répétition thématique n'est authentique qu'à la condition d'exprimer une loi inconsciente. Les ressemblances psychologiques réfractent dans des milieux différents une même essence. Les phrases types de Vinteuil, reconnaissables dans ses diverses œuvres, témoignent non pas d'une activité « vulcanienne », comme parfois le leitmotiv chez Wagner, mais de l'originalité du créateur :

> « Ces phrases-là, les musicographes pourraient bien trouver leur apparentement, leur généalogie, dans les œuvres d'autres grands musiciens, mais seulement pour des raisons accessoires, *des ressemblances extérieures*, des analogies plutôt ingénieusement trouvées par le raisonnement *que senties par l'impression directe* [2]. »

Pourtant, le point de vue de la technique, de la structure, est aussi valable, en première analyse.

1. I, p. 894.
2. III, p. 255.

Proust affirmera lui-même que l'originalité de Dostoïevsky tient à la composition.

La composition de *Du côté de chez Swann*, très complexe, assemble des éléments eux-mêmes composites. Les parties du livre constituent un ensemble ternaire, dont le centre est *Un amour de Swann*, chapitre interpolé. Il retrace des événements qui ont eu lieu dix ans, au moins, avant la naissance du Narrateur. Ce chapitre central, « amené » par une association de souvenirs, est nourri de renseignements indirects fournis par des tiers. Il s'agit donc d'un *récit de récit* : « Je passais la plus grande partie de la nuit à me rappeler notre vie d'autrefois... les lieux, les personnes que j'y avais connues, ce que j'avais vu d'elles, *ce qu'on m'en avait raconté.* » Morceau de formation géologique ancienne, ce « flash-back » permet au Narrateur de conquérir un espace temporel supplémentaire. Analyse clinique d'une passion, ce bref roman est encadré par deux colonnes ou scènes types : deux concerts où l'on joue la Sonate de Vinteuil. (Chaque amour, dans l'œuvre, se déroule sous les auspices d'un artiste.) Le premier concert blasonne pour ainsi dire la naissance de la passion de Swann pour Odette, le second, la fin de cette passion. L'un, donné chez les Verdurin, l'autre chez madame de Saint-Euverte fournissent l'occasion au romancier de décrire deux milieux sociaux différents, la bohème et l'aristocratie.

Le récit rythmé par les apparitions de la *petite phrase* peut être lui-même considéré comme l'abrégé type des romans d'amour fin de siècle. A l'intérieur du roman, d'autres correspondances sont amorcées, particulièrement entre la passion de Swann et les amours de Marcel [1]. En effet, tous deux sont doués d'un pouvoir identique d'investigation jalouse : sur plus d'un point, les traits de leur caractère se recoupent. Et la symétrie affleure jusque dans les détails les plus minutieux et les plus drôles. Par exemple, une phrase type de la passion (résolution éphémère de séparation) se retrouve dans la passion de Swann pour Odette, dans l'histoire des amours de Marcel [2]. Swann lisant son journal avise un titre de comédie, *les Filles de marbre,* qui lui rappelle douloureusement un mot de madame Verdurin adressé à Odette et rapporté par celle-ci à son amant : « Tu n'es pas de marbre [3]. » Symétriquement, Marcel, parcourant de même un journal, est le jouet d'associations d'idées qui amènent dans sa pensée le nom des Buttes-Chaumont, où jadis Andrée rejoignait Albertine [4]. C'est ainsi qu'Odette demande naïvement à Swann, qui lui parle de Vermeer : « Vit-il encore ? » Et Albertine, que madame de Cambremer interroge : « Vous connaissez les Vermeer d'Amsterdam ? », répond par la négative, croyant que ce sont des gens vivants, comme les Guermantes. A l'incident de la visite insolite de Swann chez Odette qui ne l'attend

1. « Je me suis souvent fait raconter bien des années plus tard, quand je commençais à m'intéresser à son caractère *à cause des ressemblances...* qu'il offrait avec le mien... » (I, p. 193.)
2. Cf. I, p. 305, I, p. 589 et III, pp. 344 et 359.
3. I, p. 360.
4. III, p. 543.

pas, fait pendant le retour inattendu du Héros à son domicile, où il doit retrouver Albertine. (Dans les deux tableaux, l'amant arrive à l'improviste et provoque la mise en marche d'un dispositif de défense, un montage immédiat d'une comédie de diversion.) D'ailleurs, les étapes de la passion pour Albertine semblent des récidives d'étapes plus anciennes, celles qui marquent le développement de l'amour pour Gilberte ; toutes deux reflétant de plus les épisodes d'une histoire qui appartient à un passé très ancien, la jeunesse de Charles Swann.

Proust s'est même avisé parfois d'une distribution malhabile des détails. Par exemple, en marge d'une page du manuscrit de *La Fugitive* [1] dans laquelle se trouve transcrite une lettre à Albertine, analogue à celle envoyée jadis à Gilberte et marquant la décristallisation de l'amour, Proust a noté : « Trop Gilberte », et un peu plus loin : « Cette partie-ci peut-être à supprimer et mettre à Gilberte. »

Certains personnages sont jumelés comme s'ils dérivaient d'un même schème. Certaines situations types paraissent au contraire errer à la recherche de personnages où s'incarner, *le théâtre du monde disposant de moins d'acteurs que de situations.*

La première partie de *Du côté de chez Swann*, intitulée *Combray*, rassemble presque tous les thèmes proustiens et présente la plupart des personnages, dans l'espace restreint des premières cent pages. Cette partie est elle-même composite. L'évo-

1. III, p. 456.

cation rapide du village est reprise en détail après l'épiphanie de la tasse de thé. Ces deux épisodes correspondent symétriquement, à deux autres du *Temps retrouvé* : le premier, au séjour à Tansonville, le second, à la dernière Matinée.

La troisième partie de *Du Côté de chez Swann,* qui dans sa conclusion présente un portrait très fignolé de madame Swann au Bois, prépare ainsi, motif esquissé annonçant un thème, le premier chapitre de *A l'ombre des jeunes filles en fleurs.* Ce chapitre est en effet intitulé : *Autour de madame Swann* et fait pendant à *Un amour de Swann.* La fin de ce chapitre répond elle-même à la fin de la troisième partie de *Du côté de chez Swann* : nous retrouvons madame Swann se promenant au Bois. *Mais d'une scène à l'autre, la position du Narrateur a changé du tout au tout à l'égard d'Odette.* Dans le premier tableau, il se contente de la saluer timidement, elle ne le reconnaît pas, il demeure noyé dans l'anonymat de la foule ; dans le second, il fait partie de la cour d'Odette, en compagnie de Charles et des messieurs à tubes gris. Cette antithèse marque les progrès accomplis sur le chemin du grand monde, manifeste les changements dans les relations respectives des personnages, concrétise l'avance du temps. Le même procédé signale d'autre part l'ascension sociale parallèle d'Odette. Dans l'allée des Acacias, elle retenait déjà l'attention admirative des promeneurs, mais certains initiés, tout en lui faisant de grands saluts, semblaient sourire à son passé de cocotte. Au contraire, dans l'avenue du Bois, le prince de Sagan, faisant faire front à son cheval comme dans une apothéose de théâtre, adresse à madame Swann

« un grand salut théâtral et comme allégorique [1] », prophétisant son entrée dans le monde aristocratique.

La seconde partie de *A l'ombre des jeunes filles en fleurs* (*Noms de pays : le Pays*) répond à la troisième partie de *Du côté de chez Swann* (*Noms de pays : le Nom*). Cette partie est consacrée au récit du premier séjour à Balbec. Le Grand-Hôtel offre au Narrateur *l'unité de lieu* favorable à l'étude de divers clans sociaux : domestiques, israélites, bourgeois, aristocrates de province et de la capitale. D'imprévues conjonctions créent des comédies sociales déclenchées par des malentendus et des reconnaissances. Un « blanc » de deux ans sépare la première de la deuxième partie de *A l'ombre des jeunes filles en fleurs*. De même, entre la fin de ce livre et le début du *Côté de Guermantes*, s'écoule un temps indéterminé, mais assez court.

L'architecture du *Côté de Guermantes,* subtile bien que dissimulée, repose sur trois tableaux traités dramatiquement (la matinée et la soirée chez la marquise de Villeparisis et le dîner chez la duchesse de Guermantes), tableaux à l'intérieur desquels s'établissent des relations complexes entre divers événements. Les membres du clan Guermantes, *comme dans un vaudeville, apparaissent presque tous à la scène finale,* le dîner chez les Guermantes. Ce morceau de bravoure marque l'entrée triomphale du Narrateur dans le milieu aristocratique :

1. I, p. 640.

au début du livre, le paillasson du vestibule des Guermantes semblait encore à Marcel le seuil d'un monde inconnu. Dans ce livre, Oriane occupe la première place ; elle est entourée de ses parents, le prince et la princesse de Guermantes, Charlus, Saint-Loup, madame de Villeparisis.

Elle apparaît d'abord de loin. A l'Opéra, flanquée de sa belle-sœur — *son double à la fois complémentaire et opposé* — dans sa baignoire pourpre et toute sa gloire aristocratique, elle trône parmi d'autres divinités inaccessibles. Cette soirée est marquée d'une double épiphanie, puisque c'est au cours de la représentation d'un acte de *Phèdre* que le Narrateur va enfin saisir l'essence de l'art de la Berma. Le double de l'actrice, sorte de khâ égyptien qui jadis vivait dans la pensée de Marcel, s'était effacé : le voici restitué. Le dîner chez les Guermantes constitue l'*homothétique inverse* de cet épisode, car il aboutit à une déception totale de l'imagination.

Des fresques secondaires agrémentent les tableaux principaux : Doncières ou le monde des officiers (divisés en deux castes, l'ancienne et la nouvelle), une promenade en banlieue avec Saint-Loup et sa maîtresse[1], monsieur de Charlus chez lui, une soirée à l'hôtel du prince de Guermantes. Enfin, interpolée en quelque sorte dans ces descriptions d'un milieu exotique et frivole, parmi les nombreuses « reconnaissances » psychologiques, il

---

1. Durant cette promenade, un grand poirier blanc en fleur, précurseur de l'Ange d'or de Saint-Marc de Venise, préfigure déjà sa promesse. « Gardien des souvenirs de l'âge d'or », il se porte garant « de la promesse que la réalité n'est pas ce qu'on croit, *que la splendeur de la poésie peut y resplendir* » (II, p. 160-161).

y a la dramatique séquence de la mort de la grand-mère. Inverses de ces reconnaissances qui se multiplient, signalons les moments où Marcel *ne la reconnaît plus* : à Doncières, sa voix au téléphone, proche et lointaine, semble déjà l'annonce de la séparation prochaine ; à Paris, lors de l'épisode déjà étudié ; enfin les souffrances de l'agonie la transforment en un « *autre être,* une espèce de bête qui se serait affublée de ses cheveux [1] ». A mesure que Marcel s'attache au monde, il se détache de cette incarnation de l'authentique noblesse : sa grand-mère.

Notons aussi certaines « reconnaissances » qui se succèdent au cours des trois cérémonies mondaines du livre, sans compenser d'ailleurs la rareté des impressions poétiques. Celles-ci pourtant surgissent ici et là, faibles étincelles. C'est ainsi qu'en compagnie de Saint-Loup l'atmosphère brumeuse de novembre restitue à Marcel Doncières, Combray et Rivebelle, trois univers séparés par « l'abîme d'une *différence d'altitude* ». Soulevé par un enthousiasme « qui aurait pu être fécond », le Narrateur renonce pourtant encore une fois à approfondir ses impressions et il n'évitera pas « *le détour* de bien des années inutiles par lesquelles j'allais encore passer avant que se déclarât la *vocation invisible dont cet ouvrage est l'histoire* [2] ».

(En fait, ces années inutiles auront aussi leur fonction dans l'économie du salut de Marcel.) Une reconnaissance capitale a lieu durant la promenade en banlieue avec Saint-Loup qui vient auparavant de présenter sa maîtresse à Marcel. Cette divinité

---

1. II, p. 336.
2. II, p. 397.

dont son ami est féru, n'est rien d'autre que la
« Rachel quand du Seigneur », pensionnaire d'un
bordel où le Narrateur fut jadis conduit par Bloch.
Le même jour, le Héros se rend à la matinée de
madame de Villeparisis et approche pour la première fois la duchesse de Guermantes. Cet épisode
répète dans le détail une première reconnaissance
qui a eu lieu à Combray dans la chapelle de Gilbert
le Mauvais. Durant la même matinée, Legrandin
va rejouer lui aussi une scène dont la première
représentation est relatée dans *Du côté de chez
Swann* (il tente de dissimuler à Marcel, en ayant
l'air de ne pas le voir, une démonstration du plus
plat snobisme [1]). Au cours de la même matinée
encore, le Héros retrouve madame Swann. Quelques
jours auparavant, Morel, fils du valet de chambre
de l'oncle Adolphe, venait précisément de lui offrir
une photographie d'une dame en rose dans laquelle
il reconnaît Odette, jadis rencontrée sous l'aspect
d'une élégante cocotte anonyme chez son oncle.
(Cet incident fait pendant à la découverte, chez
Elstir, de la toile intitulée *miss Sacripant*, laquelle
figurait Odette en actrice de music-hall portant un
costume masculin.) Durant cet épisode a lieu
aussi l'étonnant entretien de Bloch et de Norpois
(au sujet de l'affaire Dreyfus), dialogue qui manifeste la maladresse du premier et l'insolence feu-
trée du second [2]. Or, quittant le salon de madame de
Villeparisis, le Narrateur rentre chez lui pour y
retrouver le pendant de cette conversation, sous la
forme d'une dispute entre le maître d'hôtel de sa

1. Cf. I, p. 125 et II, pp. 201-202.
2. II, p. 233.

famille, dreyfusard, et celui des Guermantes, anti-dreyfusard, forme, insiste Proust, « brève, *invertie et cruelle* [1] ».

Ce schème de diptyque, signalé ici ouvertement au lecteur, peut être repéré dans l'épisode de la visite d'Albertine qui précède celui de la soirée chez la marquise de Villeparisis. Albertine accorde enfin à Marcel le baiser qu'elle lui avait refusé à l'hôtel de Balbec. Il s'interroge à propos de cette insolite bonne volonté :

> « Etait-ce parce que nous jouions (figurée par la révolution d'un solide) *la scène inverse* de celle de Balbec, que j'étais, moi, couché, et elle levée, capable d'esquiver une attaque brutale [2] ?... »

La scène de la présentation de Rachel trouve sa *réplique inversée* dans *la Fugitive*. Au moment où Saint-Loup lui nomme sa maîtresse, Marcel ne peut dissimuler sa stupéfaction [3]. Réciproquement, Robert, auquel Marcel montre une photo d'Albertine avant de l'envoyer en émissaire chez madame Bontemps, s'exclame : « C'est ça, la jeune fille que tu aimes ? », d'un ton « où l'étonnement était maté par la crainte de me fâcher [4] ».

Un autre incident vaudevillesque illustre par deux fois au cours du même épisode le renversement des normes éthiques chez le mondain. Le soir même où doit avoir lieu la Soirée chez la princesse de Guermantes, le duc est invité également à une redoute. Durant l'après-midi, il apprend que son

1. II, p. 296.
2. II, p. 365.
3. II, p. 157.
4. III, p. 437.

cousin Amanien est à l'article de la mort. Le duc, par deux fois, montera alors toute une mise en scène pour écarter les porteurs de mauvaises nouvelles. Cet épisode a son pendant dans le même tableau : la duchesse Oriane au moment d'entrer dans sa voiture pour se rendre chez la princesse, refuse d'écouter Swann qui lui confie qu'il n'a plus que quelques mois à vivre.

La cruelle comédie se rejoue par deux fois presque mot pour mot chez les Verdurin, à propos de la mort du pianiste Dechambre [1] et, plus tard, de celle de la princesse Sherbatoff. Cette mort a été annoncée peu de temps avant la soirée-concert (au cours de laquelle le baron de Charlus essuiera un grave affront) :

> « Monsieur Verdurin, à qui nous fîmes nos condoléances, nous dit : " Oui, je sais qu'elle est très mal. " " Mais elle est morte à six heures ", s'écria Saniette. " Vous, vous exagérez toujours ", dit brutalement à Saniette monsieur Verdurin qui, la soirée n'étant pas décommandée, préférait l'hypothèse de la maladie, *imitant ainsi sans le savoir le duc de Guermantes* [2]. »

Une symétrie analogue illustre une sorte de loi sociologique. A Doncières, le Narrateur compare la politesse de Saint-Loup à celle de son capitaine, le prince de Borodino. Il note la différence d'attitude entre les deux noblesses, l'impériale et la royale. Chez Saint-Loup, l'amabilité un peu protectrice n'est plus qu'un exercice cultivé sans but

1. II, p. 899.
2. III, p. 228.

sérieux, comme l'escrime ; l'ancienne aristocratie n'exerce plus d'autorité réelle depuis longtemps. Saint-Loup prenait amicalement la main de n'importe quel bourgeois, et, en causant avec lui, l'appelait « mon cher ». En réalité, par atavisme, il méprise assez les bourgeois pour croire que son sans-gêne les honore.

Au contraire, le prince de Borodino considère son rang comme une prérogative effective. Avec les roturiers il est affable et majestueux, car il ne les méprise pas. C'est qu'il est moins éloigné des vrais pouvoirs, son père ayant eu de hautes charges à la cour de Napoléon III [1].

Proust mène une comparaison semblable entre le duc et le prince de Guermantes. Tandis que le duc pouvait être cordial et familier, le prince, au premier abord, paraît solennel et hautain. Cependant Marcel comprend que, malgré sa froideur, le prince est un homme véritablement simple, et que malgré son langage de camarade, l'homme foncièrement dédaigneux, c'est le duc [2].

De secrètes correspondances établissent un lien entre madame Swann et la duchesse Oriane. Objets successifs d'un amour de tête, leurs silhouettes, diversifiant le génie de la mode, mais associées par une distinction égale et une même préférence pour le mauve, incarnent aux yeux du Narrateur un certain idéal de perfection. Le thème de l'amour, dans ce livre consacré aux salons, est

1. II, p. 130.
2. II, p. 655.

d'ailleurs traité en mineur. Marcel se contente d'évoquer ses différentes passades, ébauches délaissées et reprises. Il abandonne assez facilement l'espoir de conquérir la duchesse, semble renoncer à son amitié amoureuse pour Albertine, tente un transfert du côté de madame de Stermaria, tout en rêvant à madame d'Orvillers.

Le côté de Guermantes est entièrement consacré à la destruction du mythe aristocratique, des valeurs de l'amitié (Saint-Loup), de l'éthique mondaine. Critique radicale qui comporte comme arrière-fond l'évocation de diverses morts destinée à mettre en relief, *par contraste,* non seulement la vacuité des salonnards, mais leur méconnaissance de la vie, et donc de la mort.

Les deux épisodes qui terminent *Le côté de Guermantes* (la scène d'hystérie de Charlus, la visite matinale au duc de Guermantes) sont destinés à préparer les révélations de *Sodome et Gomorrhe,* livre consacré à la peinture du monde de la *double inversion* sexuelle.

Guettant le retour du couple ducal qui était sorti très tôt (il brûle de se faire confirmer l'authenticité de l'invitation de la princesse [1]), le Narrateur se place à un poste de vigie dans l'escalier, d'où il

1. Le Narrateur se réjouit de voir confirmer, non d'abord cette authenticité, mais l'universalité de son sentiment de doute dans lequel il voyait d'abord et à tort, le signe d'une différence sociale : il découvre, dans les *Mémoires* du comte d'Haussonville, un « *double* » de son expérience, la description d'une incertitude analogue (Cf. II, p. 571).

peut surveiller l'ouverture de la porte cochère. De cet observatoire, « *un paysage moral* » va s'offrir à lui. Paysage si important qu'il en retarde la description, dit-il, « de quelques instants, en le faisant précéder d'abord par celui de ma visite aux Guermantes quand je sus qu'ils étaient rentrés [1] ».

Cette description est reprise et poursuivie au début de *Sodome et Gomorrhe*. Marcel est descendu jusqu'à une fenêtre dont les volets n'étaient qu'à moitié clos : c'est de là qu'il assiste à la conjonction imprévisible de Jupien et du baron de Charlus.

Toutes ces manœuvres, ces changements de point de vue éveillent chez le Narrateur un souvenir de la scène de Montjouvain (il était caché près de la fenêtre de mademoiselle Vinteuil). Ils rappellent aussi la *porte entrebâillée* de la maison close de Maineville à travers laquelle monsieur de Charlus épie Morel dans un miroir (l'une des scènes les plus hautement comiques du livre) ou *l'œil-de-bœuf* à travers lequel le Narrateur assiste à la cérémonie de fustigation du même Charlus, ou encore le *miroir* dans lequel Albertine observe des jeunes filles, enfin *la glace* où l'héroïne de la *Confession d'une jeune fille* (*Les Plaisirs et les Jours*) aperçoit tout à coup sa mère qui l'épie. N'oublions pas les nombreux *carreaux* de fenêtres et de voitures qui s'ouvrent sur des paysages.

La reconnaissance définitive de Charlus ayant eu lieu (« une erreur dissipée nous donne un sens de plus »), désormais les nouveaux aspects que présentera le baron ne feront que confirmer, accentuer l'image décisive. Le récit de la parade et de la

1. II, p. 573.

conjonction Jupien-Charlus tient lieu d'ouverture.
A cet épisode initial correspond symétriquement
la séquence finale de *Sodome et Gomorrhe* (chapitre IV), récit de l'aveu d'Albertine (elle a connu
mademoiselle Vinteuil et son amie) qui réveille
chez le Narrateur, comme l'a fait le spectacle de
la cour de l'hôtel de Guermantes, l'image de Montjouvain, laquelle remonte soudain de son inconscient, comme une bulle, comme la réminiscence de
la madeleine. Mais celle-ci lui a ouvert la profondeur céleste de l'âge d'or, tandis que Montjouvain
lui a révélé les abîmes bitumeux de Gomorrhe, sa
terra incognita.

Encadrés par ces deux scènes qui lèvent un voile
sur les deux villes bibliques, deux autres chapitres
relatent la reprise d'intimité avec Albertine et une
Soirée à la Raspelière, *deux séquences elles-mêmes
symétriques* qui opposent l'évolution amoureuse
du couple Marcel-Albertine à celle du couple
Charlus-Morel. Dans le quatrième chapitre, le
thème dominant de la jalousie (*elle amène la péri-
pétie*) ouvre le passage à *La Prisonnière* et à *La
Fugitive*. C'est en effet la jalousie qui va pousser le
Narrateur, dont la passion décline, à emmener
Albertine à Paris. Il décide même de l'épouser.

Dans ces deux livres, dont les titres mêmes constituent une antithèse, un seul thème domine,
l'amour et l'esclavage réciproque des amants. Car
si Albertine est prisonnière, Marcel devient le pri-
sonnier de sa prisonnière. Nouvel Assuérus, il s'est
renfermé volontairement dans sa chambre et dans

sa passion. La lutte amoureuse se livrera entièrement dans un espace clos. Il ne sortira guère que
pour se rendre à la Soirée musicale chez les Verdurin, laquelle placée à peu près au milieu de *La
Prisonnière,* exerce de multiples fonctions roma-
nesques.

D'abord, elle est l'homothétique de la *Soirée de
chez madame de Saint-Euverte* au cours de laquelle
Swann découvre la Sonate de Vinteuil. Swann avait
déjà entendu celle-ci une année plus tôt, dans un
lieu qui n'est pas précisé [1], et il s'en était représenté
« *l'étendue, les groupements symétriques* ». Une
phrase s'élevant par trois fois l'avait particulièrement frappé. Chez madame de Saint-Euverte, il
retrouve donc et *reconnaît* la petite phrase, comme
une personne, nous dit-il, qu'il désespérait de
jamais *retrouver.* Elle semble s'éloigner, comme
disparaît une passante au coin d'une rue :

> « Mais maintenant il pouvait *demander le
> nom de l'inconnue* (on lui dit que c'était l'an-
> dante de la *Sonate pour piano et violon* de
> Vinteuil), *il la tenait,* il pouvait l'avoir chez
> lui aussi souvent qu'il voudrait, essayer d'ap-
> prendre son langage et *son secret* [2]. »

La petite phrase est *la véritable Inconnue* que
Swann rêve de garder prisonnière ; mais elle lui
échappera. Isis voilée, bien plus mystérieuse qu'une
femme de chair, elle promet un bonheur au-delà de
l'amour. Mais au lieu de s'appliquer à apprendre
son langage, Swann va l'utiliser, en faire l' « hymne
national » de sa passion pour Odette. Il ne descen-

1. I, p. 208.
2. I, p. 212.

dra pas dans ces « profondeurs inconnues » que symbolise la perspective spéciale de Pieter de Hoogh. Et bientôt le pouvoir talismanique de la musique de Vinteuil va s'épuiser pour lui, elle ne lui rappellera plus rien [1].

Le Narrateur héritera de Swann le précieux dépôt de la petite phrase, le prendra en charge. (C'est en effet madame Swann qui jouera la Sonate à son intention pour la première fois, — sonate dont la beauté lui échappe d'abord entièrement.) Il faudra attendre *La Prisonnière* pour que le message de Vinteuil, et en particulier celui de la petite phrase (emblème passant de la blanche Sonate au rouge Septuor, et de la passion de Swann à celle du Narrateur comme le blason de la famille de France s'est glissé au centre de l'écu espagnol), se manifeste clairement et complètement au Narrateur. Les deux soirées musicales se répondent du premier livre au cinquième et *leur symétrie marque à la fois des analogies et des différences*. Le Narrateur, bien qu'associant, lui aussi, les impressions esthétiques avec ses sentiments amoureux pour Albertine (et avec l'image de Montjouvain [2] !), s'avancera bien au-delà du point où Swann s'est arrêté, c'est-à-dire jusqu'à l'Inconnue.

Le concert a d'autre part une double fonction prophétique. Chassé au cours de la Soirée par les Verdurin qui détachent Morel de lui, Charlus va subir une sorte de métamorphose. La rupture Charlus-Morel annonce celle du Narrateur avec Albertine ; les deux amants, au bord du désespoir, seront

1. I, p. 530.
2. C'est l'amie de mademoiselle Vinteuil qui a déchiffré les derniers manuscrits du maître.

rejetés dans la solitude, laquelle sera féconde pour l'un et destructrice pour l'autre.

Ensuite, réveillant dans la vie du Narrateur l'inquiétude de la « réalité invisible », souci qui avait été presque complètement obnubilé par la curiosité psychologique et l'ambition mondaine, les révélations de ce concert préparent visiblement celles, définitives, du *Temps retrouvé*.

Proust a essayé de rompre le ton un peu trop méditatif de la première séquence de *La Prisonnière*, et il oppose aux lenteurs de l'analyse intérieure, *la rapidité des scènes dramatiques :* l'épisode de la confidence d'Albertine (fin de *Sodome et Gomorrhe*), celui du concert chez les Verdurin, celui de la mort de Bergotte, particulièrement rapide et haletant. Il s'est rendu compte que l'interpolation de morceaux trop intellectuels, le monologue trop continu et l'abstraction du style, tel un lierre prolifique qui recouvre un monument, dissimulaient l'architecture du récit et amortissaient son rythme. Il a tenté, dans le livre même, de se justifier.

Les images de son bonheur à Balbec et à Paris l'assaillent, il les voit se suivre comme les pages « vite tournées de la courte vie d'Albertine ». Et, en effet, ce qui est pour lui souvenir, album, panorama, fut pour Albertine objectivement « *action, action précipitée comme celle d'une tragédie, vers une mort rapide* [1]. » Il tente, à même son récit, de mettre à jour la structure de cette tragédie : « Comme l'engrenage avait été serré, comme l'évolution de notre amour avait été rapide et, malgré quelques retardements, interruptions et hésitations

1. III, p. 499.

du début, comme dans certaines nouvelles de Balzac, ou quelques ballades de Schumann, le dénouement rapide [1]. » *La Fugitive* se termine par le récit de *trois étapes* qui marquent le progrès de l'oubli d'Albertine : la réapparition de Gilberte, une conversation avec Andrée, un séjour à Venise [2]. La

1. III, p. 500.
2. Venise résume à la fois Combray et Balbec. A mesure qu'Albertine s'efface, le monde de Combray réapparaît, non seulement par des impressions ou réminiscences, mais également par la réapparition cyclique des gens de Combray à Venise : la mère de Marcel, madame Sazerat, madame de Villeparisis (à laquelle il est fait allusion déjà dans les premières pages du Roman), monsieur de Norpois, Gilberte par un télégramme, Swann par ses peintres préférés, Bellini, Carpaccio, Titien, Tiepolo, et aussi les Giotto de Padoue. — Le télégramme auquel il vient d'être fait allusion porte une signature qui est d'abord lue : Albertine, méprise significative. Cet épisode est préparé dans un passage des *Jeunes filles en fleurs*, où l'on voit Françoise se refuser à lire la signature de Gilberte, car « le G historié, appuyé sur un i sans point avait l'air d'un A... tandis que la dernière syllabe était indéfiniment prolongée à l'aide d'un paraphe dentelé » (cf. I, p. 502). Rappelons également que Swann avait fait cadeau à Marcel enfant de reproductions des *Vices et Vertus* de Giotto. Dans le plan du *Temps retrouvé* qui se trouve dans l'édition originale de *Du côté de chez Swann* (Grasset, 1913), un des chapitres de ce dernier livre (le 3° à l'époque) devait porter le titre de « *Les Vices et les Vertus de Padoue et de Combray* ».
A noter encore que les trois étapes de décristallisation forment une série inverse de celle des étapes de la cristallisation amoureuse chez Swann et chez Marcel (p. ex. les apparitions ternaires de la petite phrase, les trois exécutions de la Sonate). « *Je sentais bien* maintenant qu'avant de l'oublier tout à fait, avant d'atteindre à l'indifférence initiale, il me faudrait, comme *un voyageur qui revient par la même route* au point d'où il est parti, traverser en sens inverse tous les sentiments par lesquels j'avais passé avant d'arriver à mon grand amour » (III, p. 558). Cf. le texte de Kierkegaard cité aux pages 156-157.

première étape est une préparation musicale au premier épisode du *Temps retrouvé* (le Narrateur rend visite à Gilberte, épouse de Saint-Loup, à Tansonville). Enfin les dernières pages du livre sont consacrées à Saint-Loup dont la biographie *est mise en parallèle* avec celle d'Albertine.

Le début du *Temps retrouvé* contraste violemment avec sa fin, où se multiplient les révélations. L'épisode de Tansonville, en effet, peint une crise de doute absolu. La désillusion s'avère complète sur tous les plans. Combray [1] n'est plus qu'une image fanée, les sources de la Vivonne, un banal lavoir. Marcel sent qu'il n'a pas de génie. Enfin, Gilberte, durant une promenade, *lui fait un aveu parallèle à celui d'Albertine* dans le petit train côtier de Balbec. (Le jeune homme qui accompagnait Gilberte dans la nuit des Champs-Elysées, c'était Léa déguisée.) Il conclut tristement : « Ainsi certaines personnes se retrouvent toujours dans notre vie pour préparer nos plaisirs et nos douleurs. » Cette conclusion pourtant ne sera que provisoire. Dans la dernière partie du *Temps retrouvé*, le Héros passera sans transition du déses-

---

1. Combray est retrouvé trois fois : 1) dans des impressions vénitiennes, c'est-à-dire transposé selon « un mode entièrement différent et plus riche » (III, p. 623) ; 2) à Tansonville : « Ce fut peut-être le moment de ma vie où je pensai le moins à Combray » ; 3) lors de la Matinée finale : Marcel ouvre distraitement un livre, dans la bibliothèque du prince de Guermantes, *François le Champi* de G. Sand, livre qui contient pour lui « *l'essence du roman* » et lui restitue Combray (III, pp. 883-884).

poir à l'illumination : renversement total ! En effet,
la dernière Soirée (antithèse de la première partie),
ne dure que vingt-quatre heures (à mesure que le
récit avance, la durée des livres se rétrécit), et peut
s'intituler une apocalypse, c'est-à-dire fin d'un
monde et révélation. Les personnages rassemblés
incitent le Narrateur à reprendre sa recherche de
vérités d'observation. Parallèlement aux réminiscences qui se mettent à foisonner et qui restituent
au Narrateur Venise, Balbec et Combray, une
lumière se fait en lui, plutôt plusieurs lumières :
une dizaine de reconnaissances [1]. Reconnaître quelqu'un, c'est essayer de penser sous une seule déno-
mination deux choses différentes et même opposées,
c'est opérer une *métaphore psychologique.* C'est
aussi le démasquer, c'est-à-dire le rattacher à une
signification primitive, à une étymologie. Proust

---

1. Celles de Charlus, de monsieur d'Argencourt, de la
duchesse de Guermantes, du prince de Guermantes, de
Gilberte de Saint-Loup, de Bloch, de Cambremer, de
Legrandin, du prince d'Agrigente, d'Odette. — Dans *Le
Temps retrouvé,* la première section (*Tansonville*) est
séparée de la seconde (*Monsieur de Charlus pendant la
guerre*) par un « blanc » de plus de dix ans. Réfugié dans
une maison de santé, le Narrateur ne reviendra à Paris
qu'en 1914 pour une brève visite ; il fera une réapparition
en 1916. Un nouveau blanc de quatre années sépare la
seconde section de la troisième (*la Matinée chez la princesse de Guermantes* qui a lieu après la guerre). La durée
de chaque livre, en fonction de la chronologie du calen-
drier, est assez difficile à déterminer. *Un amour de Swann*
commence vers 1882. *A l'ombre des jeunes filles en fleurs*
s'étend sur quatre années (1894-1898), dont deux seulement
sont relatées. *Le côté de Guermantes* se déroule en trois
ans, environ de 1898 à 1901. C'est surtout par les stades
de l'affaire Dreyfus qu'il est permis de préciser quelques
dates. *Sodome et Gomorrhe* se passe en une année (1901),
La Prisonnière et *La Fugitive* se déroulent en un an également (1901-1902).

compare en effet expressément la dernière Matinée
à « *une vue optique* [1] » qui offre toutes les images
successives d'une « personne », c'est-à-dire d'un
masque, qu'il s'agit de lire *sur plusieurs plans à la
fois* [2]. Mais cette lecture ne peut s'exercer avec
succès que si le hasard *d'un éclair d'attention* permet de ressaisir la clé, l'étymologie (la grand-mère
toujours à la même place dans le passé, Gilberte et
Albertine dans leur première apparition, l'église
Saint-Hilaire reconnue immédiatement sans infé-
rence : « L'Eglise ! »). Proust en effet est très conscient de la relative inadéquation des comparaisons
tirées de l'espace : tel visage « orienté dans le sens
de *l'élévation, de la longueur ou de la profondeur* [3] »
a comme seul avantage de rendre sensible la quatrième dimension du temps. La reconstitution stéréoscopique nous fait saisir, dans la plupart des
cas, non pas l'essence de l'être, mais seulement une
allégorie du temps destructeur. Ainsi le prince de
Guermantes apparaît comme une allégorie d'un
âge de la vie. Dans la plupart des cas, cette reconstitution d'images, dont l'ordre disparate accentue
les divers aspects successifs d'une personne, ne
rend pas l'essence visible, elle la dissimule [4], même
si elle réussit à imbriquer les divers plans, à reconstituer, volet après volet, le retable, à tisser, fil après
fil, le « velours inimitable des années, pareil à celui
qui dans les vieux parcs enveloppe une simple
conduite d'eau d'un fourreau d'émeraude [5] ».

Cette continuité, faite de nombreuses discontinui-

1 et 2. III, p. 925, III, p. 924.
3. III, p. 926.
4. III, p. 975.
5. III, p. 973.

tés, reconstitue bien, si l'on veut, une sorte de statue, mais celle-ci est vide à l'intérieur, empreinte creuse d'un temps négatif. La sorte de « reconnaissance » qu'elle favorise permet de déchiffrer seulement une allégorie (un signe qui montre autre chose que lui : ἄλλο ἀγορεύι), ou un type manifestant les caractères d'une espèce psychologique et sociale, *type qui répète, d'une génération à l'autre, un même comportement.* A travers les générations superposées, une section verticale rend lisibles des répétitions d'un tableau identique, « comme des ombres sur des écrans successifs [1] ». C'est ainsi que l'opposition mettant aux prises Bloch et son beau-père, réitère celle de monsieur Bloch père et de monsieur Nissim Bernard.

Le terme de « reconnaissance », s'il est pris dans l'acception d'identification, ne recèle encore qu'un sens très pauvre. Nous voyons s'étager ainsi scalairement différentes modalités de répétitions. Au plus bas, celles-ci établissent une connection entre des faits privés de signification profonde, sinon qu'ils *expriment une loi.* Les analogies demeurent encore indécises : par exemple, celles que l'on retrouve parmi les divers individus du clan Guermantes, ou celles que Swann s'amuse à capter entre des portraits de maîtres anciens et les visages de ses familiers.

La reconnaissance d'un être aimé, laquelle suppose une lecture immédiate (« c'est elle ! »), un retour éclair à une signification ancienne et plus riche, nous livre parfois le noyau ou le cœur de la personne. La retrouvaille de la grand-mère morte

1. III, p. 944.

(deuxième séjour à Balbec) implique même, de la part du Narrateur, une *reconnaissance* non seulement psychologique, mais morale, un sentiment de gratitude. Quant aux femmes aimées, mortes ou vives, elles peuvent renaître soudain et livrer parfois leur signification primitive, car elles sont rattachées, comme Saint-Hilaire, au tuf profond de la vie du Narrateur, à l'époque où il croyait encore à l'individualité des êtres. Pourtant leur essence tend constamment à s'occulter, car elle renvoie malgré tout au *type idéal* dont elles ne sont que le reflet, à une divinité, à un autre monde inconnu.

La réminiscence involontaire est une répétition qui provoque un *court-circuit,* une sorte de métaphore, une connection beaucoup plus serrée (bien qu'encore fugitive) où la ressemblance est plus forte déjà que la différence, où le présent se heurtant au passé fait jaillir une petite étincelle de temps pur.

L'art, cependant, fournit seul le modèle de l'abrégé parfait et du raccourci authentique, de la véritable métaphore. Ici le schème du « double » prend toute sa force significative, expliquant l'échelle graduée des reconnaissances imparfaites, concentrant le temps en éternité vivante (destructeur d'abord, puis mixte d'être et de néant, le temps de la réminiscence est déjà une image de l'éternité). L'art est aussi le grand miroir (comme la *Recherche* s'avère le véritable *abrégé*) qui fournit l'authentique double de la réalité entière, double dont la mémoire (sous ses deux modalités), puis l'intelligence, enfin l'imagination et le rêve ne fournissent que des succédanés plus ou moins durables et approximatifs.

Bergotte a su rendre sa personnalité pareille à un miroir, — et son génie consiste dans son pouvoir réfléchissant.

Cette comparaison semble, au premier abord, assez banale. Elle ne l'est pas, car l'objectivité qu'implique le miroir ne se réduit pas à une reproduction mécanique de la réalité. En ce sens, il n'y a pas, pour Proust, de réalité en soi, distincte d'un point de vue humain. La vérité n'est pas un fait brut qu'un être mieux informé (ou plus intelligent que nous) posséderait pleinement. Quand le Narrateur, au cours du Roman, réclame une révélation objective et immédiate, de la beauté de l'église de Balbec-le-Vieux par exemple, il éprouve un vif désappointement.

D'autre part, la vérité ne réside point non plus dans un sujet coupé du monde, livré à son imagination : l'œuvre de Bergotte permet également au jeune Marcel de sortir de sa subjectivité, de renoncer à la croyance qu'il est seul à éprouver tel sentiment particulier, d'échapper à son autisme et de parvenir au royaume du vrai. Mais le royaume, c'est précisément la mise en rapport, grâce au génie du romancier, des divers points de vue — points de vue où le vu et l'imaginé, l'objectif et le subjectif se trouvent eux-mêmes accordés, compensés. Cette mise en rapport n'est possible que par *un survol qui symbolise le point de vue absolu.*

Celui-ci se confond dans la *Recherche* avec la vision du romancier. *Le point de vue technique est aussi le point de vue vrai.* Le romancier domine le plan de son œuvre, qu'il peut lire aussitôt en élévation. Bien qu'en fait il se distingue du Narrateur, il s'identifie pourtant presque constamment à lui. Dans *Madame Bovary,* à la vision d'Emma se superpose parfois, en retrait, comme un second foyer, l'œil de Flaubert (mais le relais est pris si discrètement qu'il échappe au lecteur) ; comme le regard de l'aigle qui peut passer sans accommodation de la myopie à la presbytie, cette vision est tantôt celle d'Emma seule, tantôt celle de Flaubert. Si nous étions obligés de tout contempler du poste d'Emma, la portion accessible des événements serait trop limitée ; aussi le point de vue omniscient du romancier doit-il relayer le sien. Un tel phénomène de distanciation a lieu d'ailleurs parfois dans la *Recherche : nous entendons alors la voix du romancier et non du Narrateur* [1]. C'est ainsi que dans l'épisode de la rencontre Charlus-Jupien, nous nous trouvons subitement placés non pas au point de vue limité de Marcel, forcé sans cesse de se mouvoir pour mieux voir, mais à celui, omniscient, du romancier lequel domine le futur, et déclare soudain préférable de retarder « le récit de *quelques instants,* en le faisant précéder d'abord par celui de (ma) visite aux Guermantes... ». On peut repérer ailleurs des intrusions

---

1. Cf. Marcel Muller, *Les Voix narratives dans la Recherche du temps perdu,* Genève, Droz, 1965. Cette étude, parue après la composition de notre essai, précise la fonction des différents « je » narratifs, et par-là les plans de l'œuvre.

semblables[1]. Le terme de « quelques instants » nous fait tout à coup passer du temps du Narrateur (durée lente et sinueuse qui comporte des retours en arrière, des discontinuités) au temps du romancier dont le récit pourrait en principe être condensé dans une Soirée, — temps continu, survol quasi instantané. Ce temps-ci est *retrouvé* dès le commencement du roman.

La mémoire totale du romancier, cependant, ne déborde que rarement celle du Narrateur. Celui-ci est confiné le plus souvent dans le cercle d'une expérience limitée.

Dans *Madame Bovary* on constate, au contraire, que la réalité nous est présentée tantôt sous l'angle de vue de Charles ou d'Emma, ou par son reflet dans l'œil d'un personnage secondaire. (Emma vue par l'œil de son amant, par exemple.) Dans la dernière scène du roman, c'est à travers les yeux de Charles que le lecteur est appelé à contempler un tableau synoptique des événements. Parfois encore, nous voyons Emma ou Charles avec l'œil de Flaubert. C'est ainsi que dans le premier chapitre de *Madame Bovary,* nous faisons irruption dans une scène théâtrale : Charles, petit garçon, pénétrant dans une salle de classe. Dans le second chapitre, Flaubert abandonne ce tableau limité pour opérer une rétrospective, une récapitulation qui nous renseigne sur les antécédents du futur mari d'Emma. Ici *le point de vue panoramique* est celui du romancier. Nous avons sauté sans nous en rendre compte

---

1. Cf. I, p. 433, II, p. 264 et III, p. 206.
 Proust utilisera parfois le fameux *voici pourquoi* balzacien : I, p. 208, que par ailleurs il condamne comme moyen romanesque. (Cf. *Contre Sainte-Beuve.*)

sur un observatoire élevé. Flaubert domine de la *hauteur* de son savoir de romancier omniscient tout un panorama.

Marcel sera obligé, lui, de multiplier ses points de vue pour lire la pensée des êtres qui l'entourent, d'avoir la souplesse, la patience du rétiaire devant le myrmidon protégé, casqué, masqué. (Une seule fois, une seule scène est décrite à laquelle le Héros n'a pu assister — j'excepte naturellement ce qui concerne les récits de récits — car elle se déroule simultanément à une autre dans laquelle Marcel joue un rôle. Il s'agit du goûter offert par la Berma, récit qui débute par cette attaque très balzacienne : « Or pendant ce temps avait lieu à l'autre bout de Paris un spectacle bien différent [1]... ») Le perspectivisme de Proust devait se faire nécessairement plus sinueux que celui de Flaubert. Pourtant, pour éviter à son Héros une exploration trop pénible, le romancier lui accorde, ici et là, le privilège d'un de ces points de vue panoramiques plus ou moins limités (ce qu'il appelle les *hauteurs du souvenir* [2], les réminiscences). Mais ce n'est qu'à la fin, à l'apocalypse, que l'histoire du Héros pourra être lue d'un coup d'œil, à rebours dans le miroir de l'éternel. La structure du livre exprimera enfin exactement sa texture, la forme, sa signification ; et les points de vue limités du Héros coïncideront pleinement avec celui, absolu, du romancier, dont l'œuvre est faite, et la mort, imminente.

1. III, p. 995.
2. « Et comme un aviateur qui a jusque-là péniblement roulé à terre, décollant brusquement, je m'élevais lentement vers *les hauteurs silencieuses du souvenir.* » (III, p. 858.)

BIBLIOGRAPHIE

1. SAMUEL BECKETT, *Proust,* Chatto and Windus, Londres, 1931.
2. GEORGES BLIN, *Stendhal et les problèmes du roman,* Corti, 1954.
3. GERMAINE BRÉE, *Du Temps perdu au Temps retrouvé,* Les Belles-Lettres, 1950.
4. EDMOND BUCHET, *Ecrivains intelligents du XX° siècle,* Corrêa, 1945.
5. MICHEL BUTOR, *Répertoire I et II,* Edit. de Minuit, 1960 et 1964.
6. GEORGES CATTAUI, *Marcel Proust et son Temps,* Julliard, 1952.
7. GEORGES CATTAUI, *Marcel Proust,* Edit. Universitaires, 1958 **(bibliographie jusqu'en 1958)**.
8. GEORGES CATTAUI, *Proust perdu et retrouvé,* Plon, 1963.
9. ELLIOTT COLEMAN, *The Golden Angel,* New York, C. Taylor, 1954.
10. E. R. CURTIUS, *Marcel Proust,* Edit. de « La Revue Nouvelle », 1928.
11. GILLES DELEUZE, *Proust et les signes,* PUF, 1964.
12. RAMON FERNANDEZ, *Proust,* Edit. de « La Nouvelle Revue critique », 1943.

13. ALBERT FEUILLERAT, *Comment Marcel Proust a composé son roman*, New Haven, Yale University Press, 1934.
14. HARRY LEVIN, *The Gates of Horn*, New York, Oxford University Press, 1963.
15. PERCY LUBBOCK, *The Craft of Fiction*, New York, The Viking Press, 1957.
16. CLAUDE ED. MAGNY, *Histoire du roman français depuis 1918*, t. I, Ed. du Seuil, 1950.
17. ANDRÉ MAUROIS, *A la recherche de M. Proust*, Hachette, 1949.
18. J. MONIN-HORNUNG, *Proust et la peinture*, Genève, E. Droz, 1951.
19. EDWARD MOSS, *The Magic Lantern of Marcel Proust*, New York, MacMillan, 1962.
20. J. MOUTON, *Le Style de Marcel Proust*, Corrêa, 1948.
21. JACQUES NATHAN, *La Morale de Proust*, Nizet, 1953.
22. HENRI PEYRE, *Hommes et œuvres du XXᵉ siècle*, Corrêa, 1938.
23. GAËTAN PICON, *Lecture de Proust*, Mercure de France, 1963.
24. GEORGES PIROUÉ, *Par les chemins de M. Proust*, La Baconnière, Neuchâtel, 1956.
25. GEORGES PIROUÉ, *Proust et la musique*, Denoël, 1960.
26. GEORGES POULET, *L'Espace proustien*, Gallimard, 1963.
27. LÉON-PIERRE QUINT, *Marcel Proust, sa vie, son œuvre*, S. Kra, 1925.
28. JEAN ROUSSET, *Forme et signification*, Corti, 1964.
29. WALTER STRAUSS, *Proust and Literature*, Cam-

bridge, Mass., Harvard University Press, 1957.

30. CLAUDE VALLÉE, *La Féerie de Marcel Proust*, Fasquelle, 1958.

31. R. VIGNERON, *Genèse de Swann*, « Revue d'Histoire de la philosophie », 15 janvier 1937.

32. JEAN WAHL, *Etudes kierkegaardiennes*, Vrin, 1949.

33. JACQUES J. ZÉPHIR, *La Personnalité humaine dans l'œuvre de Marcel Proust*, Bibliothèque des Lettres modernes, 1959.

TABLE DES MATIÈRES

LA PRÉSENTE ÉDITION (1er TIRAGE)
A ÉTÉ ACHEVÉE D'IMPRIMER EN
MILLE NEUF CENT SOIXANTE-SIX
PAR EMMANUEL GREVIN ET FILS
A LAGNY-SUR-MARNE

Dépôt légal : 4e trimestre 1966.
No d'Édition : 1990. — No d'Impression : 8320.